LA NUIT DE ZELEMTA

RENÉ-VICTOR PILHES

LA NUIT
DE ZELEMTA

roman

ALBIN MICHEL

À la mémoire de Pierre Cullin

Seigneur, je ne suis pas sûr de bien faire en révélant cette affaire de Zelemta si longtemps après, pardonnez, je vous en prie, à votre vieux curé Antus de s'y risquer. Il y a que, touchant à la fin de mon existence et constatant que des témoignages divers et inégalement fiables poussent ici et là comme autant de bien mauvaises herbes, la guerre d'Algérie étant tout à coup devenue le sujet de prédilection d'ouvriers de la dernière heure, muets pendant 60 ans et maintenant avides de sensations, parfois mus par le remords, il est vrai, il y a donc que je me méfie de ce que quelques survivants ou, surtout et pire, de descendants de survivants, ayant plus ou moins vaguement ouï dire de cet épisode, seraient capables de raconter lors même qu'ils n'en posséderaient que des bribes. D'autant que des langues commencent à se délier sur Abane Ramdane, son action et son assassinat par ses pairs, et, qu'à cette occasion, n'importe quoi, à côté d'un ou deux bons livres, soit écrit là-dessus. Et que le nom de Leutier se trouve malencontreusement cité ici ou là. C'est cela qui me tracasse depuis quelque temps, m'étant donné la peine, malgré les fatigues imposées par l'âge, de lire ou de parcourir bon nombre de ces ouvrages écrits et publiés à la hâte afin d'exploiter telle ou telle actualité qui fleurissent sur ce conflit enfoui sous une chape de silence des dizaines d'années. Voici que chacun, je pourrais presque dire le tout-venant, étale sa guerre et ses indignations maintenant que l'on peut dénoncer tout ce que l'on veut sans gloire ni danger. Que n'ont-ils dévoilé et stigmatisé les tortures, quand elles sévissaient et qu'il se révélait périlleux de le faire ?

Leutier ne mériterait en aucune façon de subir quelque opprobre que ce fût si, par malheur, quidams ou quidamesses, comme j'en ai vu se trémousser ces temps-ci à la télévision, en mal de notoriété, se réclamant de leur séjour sous les drapeaux en Algérie ou d'une famille ayant exploité une ferme ou un vignoble, ou même une poignée de musulmans ayant fréquenté tel ou tel secteur contrôlé par le lieutenant Leutier, les uns et les autres plus ou moins avertis par un ragot d'ancien combattant ou d'ancien militaire soucieux de se distinguer à bon compte sur le dos de l'épisode de Zelemta, ne le rendait public à sa manière. La mémoire de mon ami Leutier en sortirait sûrement flétrie pour ne pas dire en miettes, ce qui serait tragiquement injuste.

Ce qui m'a sérieusement alarmé, c'est une missive d'Alger à moi adressée s'inquiétant de savoir si j'avais connu le lieutenant Leutier dans les années 1957-1959, ce qui, précisément, n'était pas le cas car je débarquai en Algérie en 1960, frais émoulu du séminaire, affecté en qualité d'aumônier à la 3ᵉ Compagnie du 6ᵉ RIM, compagnie alors cantonnée à Aïn-Témouchent, en Oranie. J'avais 23 ans. Et Leutier, originaire de cette petite ville, s'y trouvait en convalescence à la suite de sa deuxième blessure, qui, en dépit du succès d'opérations successives, le laissait en un état d'épuisement et de précarité alarmant. Chirurgiens et médecins divers avaient jugé que le garder à l'hôpital et dans quelque établissement spécialisé de l'armée eût été moins propice à un rétablissement problématique que de l'envoyer au repos complet chez lui, à Aïn-Témouchent ou à Béni-Saf, racines de sa famille. Leutier, lui, avait 25 ans. À peine licencié en droit à la faculté de Toulouse en 1955, il avait résilié son sursis pour faire son service militaire en Algérie, son pays natal.

M'étant enquis des raisons de l'envoi de cette missive auprès de son auteur, celui-ci m'expliqua, sans l'ombre apparente d'une malice, qu'il se livrait à une recherche approfondie sur la dernière année de vie du chef révolutionnaire Abane Ramdane, ce qui me fit dresser les deux oreilles. Dès lors, je coupai court et me posai moult questions. Par quel canal mystérieux ce chercheur avait-il eu vent de l'affaire de Zelemta ? J'en frémis. Puis décidai sur-le-champ de reconstituer l'histoire à partir et autour des solides et irréfutables données que je possédais depuis beau temps mais que j'étais bien déterminé à garder par-devers moi. Par bonheur, une certaine aptitude à aligner des phrases correctes, qui m'avait valu de chroniquer de nombreuses années à *La Croix* et à *Témoignage chrétien*, et aussi de tenir une rubrique hebdomadaire à l'Archevêché, me facilita la tâche sans pour autant conférer, je l'avoue, une valeur littéraire à ce récit, finalement commencé trop tard, au soir de ma vie, et donc écrit à la hâte, le temps m'étant compté désormais, récit que je remettrai à JCT, le grand éditeur catholique aujourd'hui dirigé par l'un des fils du fondateur avec qui j'avais noué jadis de robustes liens d'amitié. Qu'il soit loué devant l'Éternel. Éternel aux pieds duquel je me prosterne humblement et modestement en ayant fini avec cet exposé des motifs. Deo Gratias.

Gabriel Antus – Curé de Faustin

« Tour à tour présenté comme un Robespierre ou le Jean Moulin et même le Mao Tsé-toung africain s'il avait survécu à la guerre, Abane Ramdane reste peu ou mal connu. Cela n'est pas fortuit. Une véritable conjuration du silence en a fait l'oublié, voire "l'évacué" de la révolution algérienne. Pourtant son rôle a été déterminant et capital. La guerre d'Algérie s'est pratiquement jouée durant ses deux premières années. De chaque côté, on a tout fait pour emporter vite et fort la décision. La France y a dépêché les forces du contingent et tous les renforts disponibles, portant son armée au-delà de 500 000 hommes. Le FLN ne sera pas en reste. On doit à Abane d'avoir le premier compris et réalisé que sans le rassemblement des forces nationales et la réunion du congrès de la Soummam pour arrêter les objectifs et les moyens du combat, le feu allumé le 1er novembre 1954 aurait vite été étouffé et l'histoire de l'Algérie n'aurait enregistré qu'une révolte de plus, vite écrasée, au lieu d'une révolution qui allait libérer le pays et façonner son avenir. On ne lui pardonnera pas d'être devenu en peu de mois, à force de caractère, d'organisation et de sens de l'action, le "numéro 1" de la révolution. Il sera liquidé au Maroc, par les siens, le 27 décembre 1957.»

Abane Ramdane,
héros de la guerre d'Algérie-Khalfa Mameri

Voici Leutier Jean-Michel, élève de « philosophie »
au lycée Pierre-de-Fermat à Toulouse en ce début de
printemps de l'an de grâce 1953. Il a 18 ans. Staline
vient de rendre son âme démoniaque. Elle volette
déjà au-dessus du pandémonium. Chargée de trop
de crimes elle ne parvient pas à planer. Cependant,
sur terre, les « masses » si longtemps dupées et encore
abusées pour un temps par l'immense figure du « petit
père des peuples » s'assemblent et défilent en sanglo-
tant. Les larmes des travailleurs et des travailleuses
laissent Leutier indifférent. Il est pensionnaire. Il
est né en Algérie, alors française, plus précisément à
Aïn-Témouchent, en Oranie, entre Sidi Bel Abbès et
Béni-Saf la belle, petit port de rêve d'où est originaire
sa maman. Son père l'a envoyé en France, le jugeant
capable de réussir de bonnes études de droit. Et à
Toulouse afin d'atténuer les affres de pareil déracine-
ment familial par la présence à Pinsaguel d'une de ses

sœurs institutrice qui sera la correspondante de son fils. Leutier la retrouve chaque samedi et regagne le lycée le dimanche soir. Les parents ont fait des sacrifices. Le père est sous-officier de gendarmerie à Aïn-Témouchent, la mère infirmière à l'hôpital civil régional. Mais, en ce printemps, le jeune pied-noir va soudain espacer ses visites dominicales à Pinsaguel. C'est ailleurs qu'il ira, au grand dam de sa brave tante, sous l'empire d'une passion qui l'a foudroyé. Elle s'incarne sous les traits d'une jeune Albigeoise, Rolande Jouli, sœur de Jacques, son meilleur ami de lycée. Elle apparut un jour au parloir, en compagnie de sa mère. Elles avaient décidé d'offrir à leur frère et fils une journée à Toulouse, restaurant et cinéma, cadeau inappréciable pour les pauvres «pensios» emmurés tout au long de la semaine.

Leutier fut ébloui par Rolande. Dès lors, il ne pensa qu'à la revoir le plus tôt puis le plus souvent possible. Plus de tante Leutier le week-end! À l'issue de fines manœuvres, il parvint à obtenir la complicité de son ami et à être invité à Albi. Les Jouli finirent par s'y habituer tout en n'étant pas dupes. Mais Leutier était un bon et sérieux élève, et son influence sur leur fils d'évidence bénéfique. Ils comprirent très vite que Leutier ne venait pas à Albi pour la cathédrale. Ces Jouli tenaient la plus importante ferblanterie-quincaillerie d'Albi et des environs. Plus tard, ils devaient se développer substantiellement en vendant aussi du «blanc», c'est-à-dire des réfrigérateurs, des machines à laver, puis du «brun», à savoir des téléviseurs. Ils n'étaient pas en peine de recevoir l'ami de leur fils. Ils le laissèrent faire sa cour sous étroite surveillance. Pas question de passer le samedi soir n'importe où.

L'après-midi du dimanche était consacré à des activités auxquelles Mme Jouli tenait infiniment et dans lesquelles d'autorité elle entraînait sa fille qui n'en pouvait mais et que Leutier fut obligé de partager s'il ne voulait pas être privé de sa belle une bonne et précieuse partie du week-end. Exigence qui bouleverserait son existence mais nullement dans le sens plutôt annoncé d'une harmonieuse histoire d'amour.

Oui! Gare aux apparences! En dépit du côté «cucu» de ce fragment préambulaire, nous campons aux portes d'événements peu ordinaires. Car la guerre d'Algérie se profile à l'horizon et elle posera bientôt ses lourdes pattes sur à peu près tous ces jeunes gens qui, en 1953, s'ébrouent dans les lycées, les bureaux, les usines de France et de Navarre.

Huit années d'un conflit pourri, de 1954 à 1962, où se sont succédé sous les drapeaux 1 350 000 conscrits, mobilisés d'autorité, *non volontaires*, qui ne demandaient rien à personne, à qui les gouvernants ont extorqué deux des meilleures années de leur jeunesse, et, parmi eux, 13 000 morts dont les cercueils rapatriés à la sauvette n'eurent les honneurs ni des télévisions ni de la Cour des Invalides ni des discours ampoulés du président de la République et de ses ministres quand pourtant, eux, ils n'étaient pas «engagés», pas du métier, et aussi quelque 70 000 blessés, des milliers de traumatisés au moins aussi gravement que, plus tard, les soldats en Afghanistan ou ailleurs, gardant à l'intérieur d'eux les images à jamais indélébiles de mort, de cris, de souffrances, incapables leur vie durant d'en parler autour d'eux à leurs propres familles, autour desquels ne s'activait aucune équipe de psychologues divers et variés, sale guerre, honteuse, inavouable, vécue comme quasi déshonorante, et perdue. Guerre écrasant, au fil des ans, de plus en plus, ces «jeunes du contingent» à mesure que se multiplièrent les récits relatant les tortures, lesquelles finirent par occulter le reste, à savoir les épreuves et drames quotidiens moins spectaculaires et «vendeurs» que la «gégène» et la «baignoire» mais qui détruisirent ces générations sacrifiées à la bêtise et à la lâcheté politiques. Les contingents, ceux qui crapahutèrent, bouclèrent, ratissèrent, ne torturèrent jamais personne, eux, et, pourtant, devenus «anciens d'Algérie», on se dit que leur mutisme dissimulait d'horribles méfaits. Mais non. Ceux qui torturèrent appartenaient aux «Services Spéciaux» et aux unités de choc des parachutistes. Malheureux anciens d'Algérie des montagnes d'Ariège, des monts d'Arrée ou des corons du Nord, de quel insupportable et injuste fardeau vous fûtes bâtés ! Cette histoire est aussi écrite pour vous.

De Leutier Jean-Michel et de Jouli Rolande je préfère moi-même conter le sort avant que cela ne soit plus possible, nul autre que moi n'étant à la fois informé d'à peu près tous les faits, tenants et aboutissants, dénouements et épilogues, et capable de les reconstituer correctement. Ne suis-je pas en même temps ancien combattant d'Algérie digne de ce nom, ayant là-bas passé 27 mois sans aucun répit, et curé assez doué pour ravauder les tranches de mémoires déchirées et inavouables ? Pardon pour ma présomption.

Pauvre Jean-Michel ! Pauvre Rolande ! Que savaient-ils de l'Algérie en 1953 ? Pas plus que l'ensemble de l'écrasante majorité des métropolitains. Et encore ! Tous ne savaient pas qu'elle avait été conquise en 1830 à l'initiative de Charles X, peu avant sa chute, trois ans après que le dey d'Alger et frappé au visage le consul de France avec son chasse-mouches. Un beau prétexte ! Une aubaine pour sauver in extremis le trône des Bourbons. Mais trop tard. En dépit de la prise d'Alger, de la victoire sur le rebelle Abd el-Kader, de la conquête par Louis-Philippe. C'est Bugeaud qui *pacifia* le territoire et qui déclara à la Chambre, en 1840 : «Là où il y a de l'eau fraîche et des terres fertiles, il faut placer des colons, sans se préoccuper de savoir à qui ces terres appartiennent.» Et les colons affluèrent : 40000 en 1841 pour 3 millions d'indigènes. D'Espagne, de Malte, d'Italie, d'Alsace après 1870. Ils travaillèrent dur : asséchant, défrichant, bâtissant, cultivant. Des petits Blancs et des grands colons. Des armateurs puissants. Et, des années durant, des indigènes rongeant leur frein en silence, travaillés par des courants et des chefs fomentant ici et là des révoltes toujours avortées, toujours durement réprimées. Notamment l'explosion de Sétif, le 8 mai 1945, jour de la victoire, à laquelle avaient participé les intrépides unités de tirailleurs. Ce jour-là, à Sétif, les nationalistes défilent. Ils estiment que leur part dans la victoire leur ouvre des revendications légitimes. C'est le signal de la lutte pour l'indépendance. Au motif que ce qui n'est encore considéré que comme une simple émeute cause du côté français une centaine de victimes, les autorités coloniales se livrent à une répression féroce, proclamant la loi martiale, tuant selon le gouvernement 1 500 personnes, selon les militaires 8 000, selon les nationalistes près de 50 000. Ces événements, cette histoire étaient passés au-dessus des têtes des Français métropolitains. Tout ce que ceux-ci savaient, c'est que l'Algérie était un ensemble de trois départements de la République, tout comme l'Aisne ou la Somme. Ils ignoraient encore, même le jeune Leutier, pourtant pied-noir, dont la famille avait vécu paisiblement à Aïn-Témouchent, bourg dont il sera question abondamment ainsi que Béni-Saf son exquise voisine, ce qui s'ourdissait dans l'ombre du côté kabyle et arabe. La génération d'après guerre naissait des cendres de ces massacres de Sétif. Les Ben M'Hidi Larbi, Didouche Mourad, Ben Boulaïd Mostefa, Zirout Youssef, Bitat Rabah, Krim Belkacem, Abane Ramdane, et bien d'autres, Boudiaf, Khider, Aït Ahmed, Ben Bella, Ferhat Abbas, et d'autres encore et encore. Tandis que Leutier étudiait à Toulouse et se pâmait à Albi aux pieds de sa dulcinée, ces fomenteurs de la révolution algérienne imminente travaillaient l'Algérie musulmane profonde, défiaient déjà la puissance coloniale en se rencontrant au cœur même de Paris afin de fonder le CRUA (Comité Révolutionnaire d'Unité et d'Action), organisaient le jour J du soulèvement de la Toussaint où attaques, embuscades, attentats ensanglantèrent le territoire : 1er novembre 1954, début de la guerre d'Algérie.

Symbole tragique et significatif de la bataille sans quartier de 8 ans qui s'annonçait : l'assassinat du couple Monnerot, instituteurs venus en Algérie avec enthousiasme pour éduquer les populations analphabètes. Naïfs qu'ils étaient, eux et d'autres. Les Algériens ne voulaient plus qu'on les éduque mais, désormais, aspiraient à s'éduquer eux-mêmes. Avec les Monnerot, le message était clair : les bons et les justes, et donc, les plus dangereux pour la révolution, tomberaient les premiers, payant pour la bêtise, l'aveuglement, l'égoïsme des autres. Pendant ce temps, à Paris, on ne s'émouvait pas outre mesure : on célébrait Sagan, Matisse agonisait, et un député interrogeait le secrétaire d'État à l'Armée de l'air au sujet d'une escadrille de soucoupes volantes qui avaient violé l'espace aérien national. Et Leutier s'enfonçait dans les torpeurs délicieuses de la ville d'Albi.

Il y aura la «ténébreuse affaire» de Zelemta, connue de moi, certes, curé Antus, mais aussi probablement de deux ou trois vieux Arabes, s'ils ont survécu aux luttes de libération, qui en furent les témoins passifs, car ils ignoraient les ressorts secrets de l'épisode qui, à leurs yeux, ne fut rien d'autre qu'une péripétie mineure d'un passé assurément glorieux désormais momifié, suspendu, immobile, aux branches rabougries de leurs cerveaux croulants, surchargées de souvenirs autrement édifiants et exaltants pour eux. Au demeurant, et après tout, ledit épisode ne concernait-il pas les Français au premier chef?

Moi-même, peu me destinait à le connaître, ce qui pourtant advint, à mon corps défendant, quand, tout juste sorti du séminaire, mobilisé comme les autres, je débarquai en 1960 en qualité d'aumônier dans la bonne ville d'Aïn-Témouchent, en Oranie, tout à côté du si charmant petit port de Béni-Saf. C'était l'époque où le général Challe, seul chef capable de comprendre cette guerre et de relever le défi du FLN, ayant fait le ménage parmi ses officiers obtus, mettait à genoux les combattants rebelles. Le FLN, en passe de perdre la guerre sur le terrain, la gagnait, en revanche, sur le plan politique, tant en métropole qu'à l'ONU. De Gaulle, bien décidé à libérer la France de son fardeau algérien, par ailleurs convaincu que les temps étaient, désormais, à l'autodétermination des peuples colonisés, ne percevait pas cette victoire militaire de Challe comme une fin en soi, un terme à cette guerre, mais comme un moyen de négocier plus tard à son avantage. Fut-ce le cas ? Ce n'est pas à un vieux curé d'en décider, maintenant que tous les rideaux sont tombés. Mais j'ai pensé, parvenu à la fin de mon existence, que je devais au moins lever le voile sur cette affaire de Zelemta, et ainsi préserver des calomnies la mémoire d'un jeune homme qui, à lui seul, aura incarné les tourments et les déchirements engendrés par ce conflit, qu'aujourd'hui on réduit aux tortures des unités spéciales de l'armée française.

Mme Jouli avait ses bonnes œuvres, auxquelles elle consacrait beaucoup de temps. Sans mettre en cause l'excellent fond de sa nature et la force de sa foi catholique, il ne faisait pas de doute, dès qu'on la connaissait un peu, que, délaissée par son mari, elle avait cherché des compensations. Aussi se dépensait-elle sans compter au service des pauvres et des victimes d'infortunes. En particulier, figurait à son programme la prison où elle se rendait tous les dimanches accompagnée de sa fille à qui elle forçait quelque peu la main. Rolande, à 17 ans, commençait à rêver mieux pour occuper ce jour de la semaine où ses amis et amies s'amusaient librement. Elle n'osait encore s'insurger. Cependant, sa mère l'avait peu à peu libérée de ses visites aux pauvres mais elle était restée intransigeante sur celles de la prison. Elle les avait jugées pédagogiques, et, au fond, elle n'avait pas tout à fait tort. Entrer dans une masure ou dans une prison, ce n'était pas la même chose. Jacques

Jouli, lui, s'était très tôt affranchi de ces corvées. Le dimanche, il allait au bal ou au match de rugby.

C'est dans ce contexte que Leutier se présenta pour la première fois chez les Jouli à l'initiative de Jacques et dans le but exclusif de faire sa cour à Rolande. Jacques invitait Leutier, pour son agrément propre, au nom de l'amitié solide qui le liait à celui-ci. Informé des intentions de son ami, il avait, cependant, omis de lui indiquer une difficulté pourtant prévisible : l'amoureux se verrait privé de l'après-midi du dimanche, contrainte plus que dommageable puisqu'elle amputait quasiment de moitié le temps disponible pour conquérir la belle. Que faire? Jacques ne voyait pas comment contourner les habitudes nobles de sa mère dès la première visite sans la contrarier gravement et compromettre les manœuvres galantes de Jean-Michel. Sauf que lui vint une idée lumineuse, un plan subtil, reposant sur un mensonge que j'ose à peine qualifier de «pieux» tant le terme apparaît hardi en pareille circonstance : il suggéra à Leutier de prétendre que lui-même ayant été élevé par des parents grandement charitables était très sensible aux actions de dévouement, au soutien des âmes en peine, et donc qu'il ne verrait aucun inconvénient, bien au contraire, à accompagner madame et sa fille à la prison le dimanche. Que, pour lui, loin d'être un pensum, cette perspective était gratifiante. Leutier adopta aussitôt ce plan, lequel réussit au-delà de ses espérances. Car il fit d'une pierre deux coups. Il combla d'aise Mme Jouli et la conquit dès le premier week-end, la disposant plus favorablement encore à l'endroit de cet ami si proche à la fois de son fils et de ses propres inclinations.

Et c'est ainsi qu'un dimanche du printemps 1953, l'élève Leutier, encadré par la maman Jouli et sa fille Rolande, pénétra pour la première fois dans la prison d'Albi exposant ainsi sa jeune existence à un périlleux aiguillage.

«Aujourd'hui, nous verrons les politiques», avait dit Mme Jouli.

Et donc, ils virent les politiques. Et l'un d'eux ne manquera pas d'impressionner Leutier. N'étaient-ils pas, en 1953, l'un et l'autre «français algériens»? L'Algérie n'était-elle pas alors encore française?

Parmi les «politiques», en effet, figurait un bon-homme qui, au premier coup d'œil, requérait l'atten-tion. D'évidence, il n'était pas en très bonne santé. D'une maigreur dont on devinait qu'elle était due aux épreuves plus qu'à sa nature, le visage aux traits tirés, exagérément pâle, et, là-dessus, comme une anoma-lie, un regard perçant et dominateur, une moue dure, presque méprisante, par moments, pour ses interlocu-teurs. De plus, escorté de trois ou quatre détenus défé-rents lors de ses promenades, qu'il éloignait quand il avait envie d'être seul ou qu'il recevait des visiteurs. Le directeur de la prison lui-même lui accordait une importance et une sollicitude particulières. Il le laissait lire et écrire à sa guise, correspondre sans que son cour-rier soit violé.

L'homme s'appelait Abane Ramdane. Il était né en Kabylie en 1920. Son père était un marchand ambulant de produits orientaux. Associé à son frère, son négoce avait prospéré. Ce qui le plaçait au-dessus de l'immense majorité des Algériens musulmans et lui avait permis d'assurer à son fils une scolarité complète de 1928 à 1942, jusqu'au baccalauréat passé brillamment à Blida. C'est que l'intelligence du jeune homme était remarquable. Il excellait, notamment, en mathématiques. Quelle exception ! En 1930, le taux de scolarisation des enfants musulmans n'atteignait que 5 % dans le primaire, et, en 1954, 15 %. Son père le voyait alors instituteur. Un bâton de maréchal pour le jeune Kabyle dans l'Algérie coloniale. Las. Son fils a vu la France se disloquer en 1939, se courber sous le joug allemand. Il a compris sa faiblesse et son déclin. Elle ne lui a plus fait peur. Il a vécu les massacres de Sétif en 1945. Il a fait connaissance de la démocratie américaine à travers ses soldats débarqués en Afrique du Nord en mars 1944. Il a échangé des vues, ici et là, avec certains d'entre eux. Il a intégré qu'ils étaient libres, sous leurs uniformes, et que lui ne l'était pas. Il a constaté qu'ils s'en étonnaient. Il en a déduit, secrètement, que s'il se révoltait un jour, peut-être que, rentrés au pays après la victoire, ils trouveraient ça normal. Un jour lointain pour la plupart de ses congénères opprimés. Mais pour lui plus proche qu'on ne le pouvait penser. Justement en raison de la faiblesse de cette France cassée par cette guerre perdue, cette occupation déshonorante, cette libération par les Alliés coalisés pour abattre la machine nazie, et que la

Résistance, à elle seule, ne suffisait pas à occulter. Ce même mois de mars 1944, il a assisté à la naissance de l'AML (les Amis du Manifeste de la Liberté) de Ferhat Abbas. Il y a adhéré l'année suivante. Son destin est tracé. Dès lors, il ne cessera de militer pour l'indépendance de l'Algérie, montant en grade au sein d'organisations successives : le Parti du Peuple Algérien (PPA), le Mouvement pour le Triomphe des Libertés Démocratiques (MTLD) de Messali Hadj dont il dirigera l'OS (Organisation Spéciale) pour la région de Sétif, c'est-à-dire l'action violente, les coups de main, le stockage et le maniement des armes. Désormais «cadre politique» de premier plan, repéré, fiché par l'administration française, il vit et agit dans la clandestinité. Il se procure des armes, des faux papiers, de l'argent, forme des cadres sur le terrain, noyaute les villages et les bourgs de la zone. En somme, il fait ses classes avant de se propulser plus haut. Il apparaît alors comme ourdissant un complot insurrectionnel à grande échelle. Trahis, lui et ses amis sont arrêtés en 1950, répartis en diverses prisons.

Pour sa part, le voici à Blida, jugé et condamné à 5 ans. Il a 30 ans. Et il commence son tour des maisons d'arrêt. Car il se révèle un détenu «impossible», fomentant des mutineries partout où il passe, diffusant ses idées «subversives», réussissant à communiquer avec l'extérieur. Le voici maintenant à Barberousse, la sinistre prison d'Alger, puis aux Baumettes, à Marseille, puis à

Ensisheim, en Alsace, où il s'enfonce dans une grève de la faim qui n'en finit pas. Abane était un homme corpulent, 1 m 74 pour 78 kgs. À la fin de 1952, il a perdu 25 kgs. Il écrit alors à un ami d'enfance : «Vous n'avez pas à rougir de nous. Nous n'avons jamais failli à notre devoir. Notre seul but, c'est de sortir et de reprendre la lutte plus implacable que jamais.» Excédées, craignant qu'il ne meure en martyr durant sa détention, les autorités le transfèrent enfin dans une prison réputée plus humaine, et, surtout, avec le statut plus qu'appréciable de «détenu politique». À Albi, il se refait une santé, dans tous les sens de cette expression. Correctement nourri, il vaque à ses occupations quasi à sa guise. En particulier, il assouvit sa boulimie de lecture : Marx, Mao, Lénine, etc.

Tel est le bonhomme qui reçoit, un dimanche du printemps 1953, la visite de Mme Jouli, maîtresse en bonnes œuvres, flanquée de sa fille Rolande et du jeune pied-noir Leutier, amoureux éperdu de celle-ci. Une rencontre, il faut bien le dire, plus qu'étrange, surréaliste. D'une part, deux provinciales caractérisées, dépourvues de réelle culture, dégoulinant de bons sentiments, absolument incapables de se former la moindre opinion sur ce détenu vorace, prédateur opportuniste, habité de projets politiques stratosphériques, dur comme acier, même au terme de dizaines de visites, car il ne leur raconte que ce qu'il veut, d'autre part ce fils d'un sous-officier de gendarmerie d'Aïn-Témouchent et d'une infirmière de Béni-Saf, élevé dans l'insouciance et l'ignorance politiques, en marge de la communauté musulmane chaque jour côtoyée dans une sorte d'indifférence, cependant instinctivement intéressé par ce prisonnier algérien, bien plus, en tout cas, que les deux femmes, mais tout autant qu'elles guère entraîné à des spéculations politiques sur ce département français où il faisait si bon vivre, où les bonnes et la main-d'œuvre ne coûtaient presque rien, aveugle et sourde qu'était sa famille, à l'instar de l'immense majorité des pieds-noirs, aux ébullitions souterraines qui chauffaient à blanc les masses musulmanes. Oui, quel spectacle, assurément, que ces face-à-face dominicaux entre ce révolutionnaire fiévreux et déterminé, couturé de cicatrices, son énergie bandée vers son avenir de combattant pour la libération armée, le cerveau embrasé par des plans d'une ampleur et d'une audace peu communes, et ces trois-là, si légers et superficiels, en somme, à ses yeux, si inutiles, en dépit de leur charitable démarche, mais à qui, au fond, il ne demandait rien, et de qui il n'attendait rien qui fût essentiel. N'auraient-ils pas cheminé tous les dimanches en direction de la prison, le sort de l'Algérie en eût-il été affecté? Les dés avaient été jetés à l'insu des Leutier et de tous les autres Leutier. Ces dimanches-là, en vérité, c'est plutôt Raminagrobis qui recevait souris, souricette et souriceau. Est-ce à dire qu'Abane était totalement indifférent à la personnalité de Leutier? Bien au contraire. Leutier devait me dire plus tard avoir ressenti, dès sa première visite, l'impression vague d'être étudié, examiné sous tous les angles, d'avoir éprouvé comme un malaise, celui de se sentir scruté, jaugé, avec un mélange de sympathie et de cruauté. Ils avaient évoqué l'Algérie. De tomber par hasard sur ce jeune pied-noir et non sur un lycéen originaire de Lourdes ou de Besançon, c'est cela qui avait sûrement rendu Abane si attentif. Et alors, ils avaient évoqué l'Algérie.

– Nous sommes tous les deux de là-bas, avait cru bon d'établir Leutier, je suis né à Aïn-Témouchent.

À quoi Abane avait répondu, après un temps, ayant d'évidence réfléchi à sa phrase :

– Oui, moi, je suis né en Kabylie... Votre père est lui aussi né en Algérie ?

– Non, mon père est né à Grandchamps-des-Fontaines, un village de Loire-Atlantique, il a fait son service en Algérie, après il est entré dans la gendarmerie, il a été affecté dans l'Oranais, d'abord à Tlemcen puis à Aïn-Témouchent, et là il s'est marié à une pied-noir, une demoiselle Cervantès de Béni-Saf, actuellement infirmière à l'hôpital régional d'Aïn-Témouchent...

Et lui, Jean-Michel ? Que faisait-il à Albi ? Voilà, tout à coup, que le jeune homme aiguisait la curiosité du prisonnier, comme si celui-ci se disait soudain : qu'est-ce que je pourrais tirer de ce garçon d'Aïn-Témouchent pas encore dégrossi, ignorant et naïf ? C'est là ce dont se rendait compte six années après le lieutenant Leutier, blessé dans sa chair, blessé dans son âme, triste et pensif, étendu dans un transat sur la plage de Rachgoun à Béni-Saf en 1960, à l'occasion de l'une de nos conversations, lors de sa deuxième convalescence.

– Petit curé, me disait-il en un pauvre sourire, que pouvais-je comprendre de ce qui m'arrivait ? Je ne pesais pas lourd devant ce bonhomme, le comble, c'est qu'il éveillait ma compassion au lieu qu'il aurait dû me terrifier.

Et donc, il avait poursuivi sa présentation. Lui, Jean-Michel, il avait été envoyé à Toulouse pour y étudier son droit dans les meilleures conditions, préparer sa « philo » dans un grand lycée, Pierre-de-Fermat, s'acclimater à ce nouvel environnement si différent d'Aïn-Témouchent, tirant avantage de la présence d'une tante institutrice à Pinsaguel, tout à côté de la ville rose. Il avait débité ça presque à son insu, rien de si détaillé ne lui ayant été demandé. Abane l'avait comme hypnotisé, sans qu'il sût pourquoi. Il se souvenait que cela l'avait gêné. D'ailleurs, l'idée d'en finir là et de ne pas le revoir l'avait effleuré. Que ne l'avait-il suivie, avait-il murmuré. Mais Abane avait sûrement perçu que cette première rencontre si imprévue entre le tendre pied-noir et lui ne devait pas trop rebuter celui-ci. Il s'était tout à coup montré charmant, avenant, enjôleur même.

– Ah, Béni-Saf, avait repris, rêveur, le futur patron

de la Révolution algérienne; je connais, vous savez, c'est que j'ai traîné mes bottes un peu partout dans notre beau pays, car c'est notre pays à tous les deux, n'est-ce pas, jeune homme? Et tous les deux nous l'aimons, et un jour nous y vivrons tous les deux dans l'égalité et la fraternité qui laissent un peu à désirer, vous n'avez pas encore réfléchi à cette question, n'est-ce pas? Vous y avez vécu une enfance dorée sur ses plages tandis que moi, eh bien, lors de mes passages là-bas, je faisais autre chose, je ne fréquentais pas les Européens, je ne participais pas aux méchouis, je ne buvais pas de Mascara, je ne me délectais pas de riz au poisson entre deux baignades, je n'allais pas aux bals du jardin public d'Aïn-Témouchent, je ne flirtais pas à l'abri de ses bosquets, je n'allais pas voir les films du Splendid ou du Capitole, je ne prenais pas l'anisette chez Sauveur, à la Brasserie du Capitole, ni ailleurs, non, à chacun de mes passages à Aïn-Témouchent et dans sa région, j'avais trop à faire, j'avais à parler la nuit à mes compagnons d'infortune arabes, tous en marge, tous de côté, et je les préparais patiemment à conquérir leur liberté, leur dignité, les terres qui, jadis, leur appartenaient, mais pardonnez-moi, je m'emporte inutilement, je ne veux pas vous effaroucher, ce que nous voulons, c'est une Algérie indépendante pour tous, pour vous comme pour nous, vous êtes jeune, je suis sûr que vous pourrez vous y épanouir, revenez me voir, j'y tiens, je suis heureux de parler à un jeune Français d'Algérie que je devine ouvert et intelligent, tenez, je vais vous demander un service, allez à Toulouse chez un petit libraire de la rue du Tort, sa boutique s'appelle *le Libre Lecteur*, il sait qui je suis, j'ai un compte chez lui, demandez-lui pour moi l'opuscule de Lénine intitulé *Que faire ?*, s'il ne l'a pas, qu'il le commande, pardonnez-moi de vous avoir un peu bousculé dès notre première rencontre, je suis impulsif, c'est mon défaut principal, vous comprenez, je suis enfermé depuis plusieurs années et j'ai ici, même si maintenant on me fiche à peu près la paix, peu d'interlocuteurs qui m'inspirent, et, à cet égard, vous êtes comme une bénédiction, jeune, éduqué, originaire d'Oranie... Vous parler, vous ouvrir les yeux, vous éveiller à l'avenir qui s'annonce, observer vos réactions, capter votre attention et votre sympathie, c'est une occasion inespérée de me refaire un moral et une santé...

— Petit curé, avait alors soupiré Leutier, aujourd'hui encore, la force, la brutalité, l'agressivité même de cet homme, m'impressionnent, surtout, sa facilité à ne pas les dissimuler, au fond, il était passé à l'action, il était déjà en guerre, il n'avait cure de masquer ses intentions politiques, il avait jeté aux orties toute diplomatie, sitôt libéré il prendrait les armes, c'était l'évidence même pour un tendron pied-noir innocent pour qui la question la plus importante que cette sorte de diatribe avait soulevée était : comment ce Kabyle pouvait-il si bien connaître la petite ville de ma naissance et de mon enfance ? Elle n'était quand même pas tout à côté de Tizi-Ouzou ! Comment connaissait-il le bar de Sauveur Rodriguez ? Que se passait-il donc la nuit en Algérie ces dernières années ? Je me souviens m'être promis de rendre compte à mon père, mon pauvre papa, qui prend son fils pour un héros, comme tant d'autres, quand il est tout le contraire, ainsi que vous l'apprendrez bientôt de moi en confidence de pécheur, petit curé, non, pas en confidence, en confession, car c'est le ciel qui vous a envoyé auprès de moi. Juste au moment où je sens bien la vie s'enfuir de mes veines, mes poumons troués crier grâce, vous l'aumônier militaire de mon âge apparaissez, encore tout gonflé de votre vocation, au tout début de votre ministère, tout neuf, en somme, capable de tout entendre et de tout pardonner, d'intercéder sans états d'âme. Mon pauvre papa mourrait foudroyé s'il apprenait la vérité, lui qui se voit dépassé par les événements, de Gaulle veut l'autodétermination il ne reviendra pas là-dessus, et Challe partira, puis après lui tous les pieds-noirs, et ma mère ne reverra plus jamais Béni-Saf...

Il s'était interrompu, exténué. C'est alors qu'un jeune garçon musulman avait surgi des sables tenant un plateau de *mounas*, ces délicieuses brioches sucrées, au-dessus de sa tête. Et comme je le chassais, Leutier avait soufflé :

– Prenez-en au moins une pour vous, petit curé, comme ça vous vous en souviendrez...

Ce n'était plus le lycéen pied-noir d'Albi découvrant, ébahi, que des problèmes se posaient en Algérie, qui reposait sur ce transat à la plage de Béni-Saf, mais un lieutenant de l'armée française de 25 ans en convalescence chez lui à la suite de sa deuxième grave blessure et qui savait à quoi s'en tenir sur l'état de l'Algérie et son histoire, à qui la guerre avait, en quelque sorte, apporté une formation accélérée commencée un dimanche de printemps à la prison d'Albi.

Il se souvenait combien l'apostrophe politique du prisonnier non seulement l'avait déconcerté, mais s'était révélée prémonitoire. Rien ne l'y avait préparé. À cette lacune, il revenait sans cesse, comme un reproche latent adressé à sa famille et à son entourage, eux-mêmes prisonniers de leurs préjugés et aveugles aux impatiences manifestées par la population musulmane. Malgré certaines apparences, vivant en vase clos, qu'ils soient ou non riches, coiffeurs, garagistes ou gros colons ou gros brasseurs. Joyeux et souvent viveurs. Amateurs de sardinades endiablées. Plus tard pathétiques et déracinés, me dis-je aujourd'hui, pour la plupart n'ayant pas mérité pareil châtiment. Je revois et derechef j'entends le lieutenant ressasser sur son transat que, chez lui, on parlait peu de politique, on y respectait plutôt les « Arabes », que son père interdisait même qu'on les appelât des « melons », des « ratons », des « bougnoules », des « bicots », au contraire de nombre de Français de souche, quoique, comme eux, on les côtoyât chaque jour sans se mêler à eux. Et, se réjouissait souvent le gendarme de Grandchamps-des-Fontaines, à Béni-Saf et Aïn-Témouchent, les délits étaient plus fréquents que les crimes, et les quelques accès d'agitation politique, les velléités de révolte de la communauté musulmane de ces dernières années, avaient été vécus par les pieds-noirs comme des prurits épisodiques sans jamais de lendemains sérieux, ce qui les rassurait, d'autant que la France paraissait disposer de tous les moyens de coercition, administration, police, armée. À tous ces égards, les « petits Blancs », ainsi qu'on les désignait parfois, vivaient là-bas dans un esprit de quiétude et de bonne conscience. Imbus de leurs différences avec les « melons », et le plus souvent paternalistes. Ce qui les amena plus tard à sincèrement s'étonner de constater que des Arabes ou des Kabyles, au service de leurs familles depuis des lustres et des lustres, les massacrent un beau matin sans crier gare. En quoi, vraiment, avaient-ils mérité pareil sort ?

En ce milieu, en cette atmosphère, était né et avait grandi Jean-Michel Leutier. Son enfance s'était dérou-

lée joyeuse et insouciante en compagnie des petits
«melons» dans les rues animées d'Aïn-Témouchent
et sur les plages de Béni-Saf. C'est pourquoi, le
1er novembre 1954, tous s'éveillèrent frappés de stupeur
par cette série d'attentats qui ensanglantèrent le territoire algérien. Tétanisés, puis confiants grâce à l'arrivée
de centaines de milliers de jeunes gens du contingent
sommés de faire deux ans de service armé loin de chez
eux dans des départements de France ne ressemblant
en rien à ceux d'où ils venaient, ces pieds-noirs n'ima-
ginaient pas une seconde que perdureraient et s'ampli-
fieraient ces troubles, bientôt nommés «événements»,
croyant dur comme fer qu'ils seraient vite matés, cir-
conscrits, comme jadis au temps de l'émir Abd el-
Kader. Mais non. Cette fois serait la bonne. Et l'homme
qu'il rencontrait, par hasard, à Albi n'y serait assurément pas pour rien.

Mme Jouli avait surgi et interrompu le prisonnier :

– Alors, Jean-Michel, on vous avait perdu !

– M. Abane est algérien, alors nous avons parlé du
pays.

– Ah, eh bien, je vous laisse entre compatriotes, le
hasard a bien fait les choses, vous qui m'avez dit hier que
vous étiez quelquefois nostalgique de votre ville natale,
nous deux, avec Rolande, nous continuons nos visites,
nous avons des commandes à prendre, vous, monsieur,
vous n'aurez qu'à les confier à ce jeune homme qui vient

du même pays que vous, nous nous retrouverons ici à la fin de la visite.

– Qui sont ces gentilles dames, avait demandé Abane, vous êtes parent avec elles ?

– Non, je suis un condisciple de leur fils au lycée de Toulouse, il m'a invité pour le week-end.

– Ah, je vois, j'espère qu'il vous réinvitera, j'ai plaisir à vous voir et à parler avec vous, de l'Algérie, des lieux que nous connaissons tous les deux.

– Mais pourquoi êtes-vous en prison ? interrogea ingénument le jeune pied-noir.

– Ah, c'est une assez longue histoire, je vous la raconterai la prochaine fois.

Leutier arrêta alors son récit :

– Petit curé, je vais vous dire, rétrospectivement, je pense que je n'ai pas été aussi dupe qu'on pourrait le croire et que je l'ai cru moi-même un bon bout de temps, car j'ai quitté cette prison mal à l'aise, avec le sentiment désagréable que cette rencontre imprévue allait compliquer mon existence... au point que, déjà, elle avait légèrement altéré ma passion pour Rolande Jouli... Cet Abane m'avait flanqué brutalement à la figure ma famille, mon pays natal, mon enfance, mon adolescence, avec une agressivité étrange, comme s'il me reprochait d'être là, tranquille, d'étudier dans l'un des meilleurs lycées de France, tandis que là-bas, à près de 1 000 kms, se préparaient de grands événements...

Et tandis que, tous trois, nous nous éloignions de la peu engageante bâtisse, que Rolande et sa mère se perdaient dans des considérations futiles sur les conditions de vie des prisonniers puis sur leur emploi du temps de la soirée, je regrettai tout soudain que mon père ne fût pas à mes côtés.

Il avait dû s'interrompre une fois de plus. Parler trop longtemps l'épuisait vite. Pauvre lieutenant Leutier. Cette fois, il était mal parti. Certes, on l'avait bien opéré à Alger pour la énième fois, on avait fini par extraire toutes les balles de son corps martyrisé, mais on ne le lui avait pas caché, des complications n'étaient pas à exclure, et elles l'affaibliraient inexorablement. Elles pesaient sur lui comme autant d'épées de Damoclès. C'est pourquoi le mieux, en ces circonstances, restait de se reposer chez lui, à Béni-Saf, près des Cervantès, au bord de la mer.

Ainsi, il aurait eu besoin de son père à la sortie de cette prison d'Albi. Peut-être plus pour le prévenir de dangers imminents que pour quérir son réconfort. Cet Abane Ramdane lui avait fait un peu peur. En même temps, il avait subi sa domination naissante avec une espèce de satisfaction perverse, de masochisme politique, dus à son impression confuse d'avoir été propulsé par hasard et par cet homme aux premières loges de la formidable représentation qu'il montait depuis sa prison. Tout cela n'était pas facile à déchiffrer instantanément pour un pied-noir de 17 ans si loin du boulevard National et du jardin public d'Aïn-Témouchent et des cabanes bariolées de la grande plage de Béni-Saf. Mais tout cela pèserait lourd.

Albi lui apparut alors brusquement gris et inhospitalier.

Je prends soudain conscience que j'ai à me garder de peindre Leutier comme un jouvenceau ballot et immature à l'excès. En vérité, il s'était épanoui dans cette classe de philosophie du lycée Pierre-de-Fermat, au demeurant réputée et recherchée pour son professeur principal et ses résultats. Les parents d'enfants doués de la région se pressaient à ses portes car elle préparait excellemment aux hypokhâgnes et aux khâgnes, y compris celles des grands lycées de Paris. À son palmarès, notamment, plusieurs lauréats du concours général de philosophie. Et c'est dans une telle classe que Leutier parvenait à se maintenir aux toutes premières places. Certes, grâce à beaucoup de travail mais aussi d'intelligence, laquelle s'était révélée à lui-même, lui, d'un naturel modeste, entré en seconde dans ce lycée bourré de complexes. Ainsi ne se contentait-il pas d'apprendre mais il se cultivait. En outre, en accélérant le processus de son dégrossissage politique, il était entouré de nombreux condisciples engagés dans diverses luttes, «travaillés» en particulier par le puissant Parti communiste. Mais il résistait sans trop de mal aux pressions et tentations de militer ici ou là, comme savent souvent le faire les jeunes gens pénétrés des efforts et sacrifices consentis par des parents modestes et, par surcroît, lointains pour accroître leurs chances de réussir. Ce qui ne signifiait pas qu'il restait insensible aux idées de gauche qui foisonnaient autour de lui. La famille Cervantès de Béni-Saf était socialiste, sa mère se déclarait ouvertement favorable à une égalité citoyenne entre Arabes et Européens. Ces positions chez les «petits Blancs» étaient loin d'être rares, ce que les métropolitains, ignorant quasiment tout des nuances sociologiques de ce territoire, eurent plus tard beaucoup de mal à comprendre. Ce que ne voyaient pas ces «Français d'Algérie», c'est qu'il était trop tard. Mais était-ce si évident? Ainsi, au long de la semaine après la première rencontre avec Abane, le jeune homme pataugea dans une perplexité inquiète. Laquelle l'amena à s'interroger sur plusieurs points. D'abord, devait-il informer ses parents de cette si peu ordinaire occurrence? Et pourquoi se posait-il cette question comme s'il avait commis quelque faute?

– Vous le savez, petit curé, c'est toujours facile de refaire le monde, de réviser le passé comme on révise un cours, puisque alors il se présente à nous tel un livre de maître qui contient les problèmes et les solutions, et si, aujourd'hui, quelque prof vicieux me tarabustait sur la période «post Albi», dirais-je, je serais en mesure de déjouer tous ses pièges, mais voilà, tout ça est loin, je ne peux plus refaire ma vie, cependant, parmi les pièges non déjouables, il en est un qui concerne mon pauvre père, il est une question à laquelle, même des années après, je me sens incapable de répondre clairement et fermement : aurais-je dû l'informer aussitôt de cette rencontre avec Abane ? Certes, je devais l'en instruire quelques semaines plus tard, à l'occasion des congés de Pâques, mais, en cette période cruciale, si je l'avais fait dès le début et qu'il m'eût intimé l'ordre d'arrêter là les frais, je crois que j'aurais obtempéré. C'est que les choses avec Abane se sont passées très vite, les deux rencontres suivantes, avant Pâques, ont contribué à me forger, plus ou moins consciemment, une image de lui qui s'imposa à moi avec violence ultérieurement, à un instant crucial, déterminant, quand tout s'est joué pour moi... Plus délicat encore : mon père, actuellement, qui, à l'instar de tant d'autres, tient son fils pour un héros patriote, devrais-je lui livrer la vérité et lui avouer ce qui torture ma conscience et me tue à petit feu plus sûrement que les dégâts irréversibles qui ravagent mon corps chaque jour un peu plus, malgré toutes les drogues qu'on m'administre ? Car je ne suis pas dupe, petit curé, pas plus que vous d'ailleurs, vous le voyez bien, je ne suis qu'en sursis, et c'est précisément pour cela que j'ai décidé de me confier à vous, pieds et poings liés, je suis croyant, vous comprenez, de vous obliger, en quelque sorte, à partager mon fardeau, de vous laisser juge de l'opportunité, de l'utilité, de divulguer la vérité un jour, de préférence après la mort de mes parents, d'autant qu'elle ne me paraît pas, à certains égards, absolument inavouable, quand on connaît la suite des événements, et puis, vous prierez pour moi, c'est pourquoi il faut maintenant que je vous parle de mon père.

De lâcher tout ça d'un coup l'avait brisé, au point que nous dûmes interrompre ce que je pourrais appeler la «séance», parce que je me souviens aujourd'hui de ces entretiens laborieux et méritoires sur le balcon de l'hôpital flambant neuf de Béni-Saf ou sur les transats de la plage comme d'autant de séances qu'il serait possible de situer quelque part entre la psychanalyse (que les spécialistes me pardonnent cette présomption saugrenue) et la confession ecclésiastique et romaine (et, cette fois, c'est à l'indulgence de mon évêque que je m'en remets).

Du père Leutier, que j'ai bien connu (ainsi que les Cervantès de Béni-Saf) durant ces 9 mois où je cantonnai à Aïn-Témouchent, avant d'en partir à ma demande expresse et éplorée, je parlerai.

Auparavant, il me paraît indiqué de placer ici ce qui m'a amené là-bas et d'exposer les missions qui me furent assignées par le colonel du 6e RIM et un mot sur mon humble personne.

Je suis le dernier d'une famille de 9 enfants qui survivait dans la misère au plus profond d'une montagne sauvage et inhospitalière du centre de la France. Jusqu'à l'âge de 15 ans, je fus expédié à l'école au nom de la loi par un père réticent qui eût préféré m'avoir sous la main pour garder nos trois vaches et nos quelques moutons afin d'économiser les bras des plus grands. Il se passa que je devins le meilleur élève de l'école communale. Et donc, le héros d'une histoire classique, banale, de la sauvegarde par l'école d'un petit paysan. Repéré par mes deux instituteurs, j'étais destiné aux bourses et au collège du chef-lieu. Mais le chanoine de notre village m'avait remarqué lui aussi et ne l'entendit pas de cette oreille. Sachant ma famille très pauvre, il proposa à mon père de s'occuper de moi et de m'envoyer au petit séminaire sis audit chef-lieu. Ce qui fut décidé. Et là, voici que je me distinguai tout autant qu'à l'école. Mes aptitudes à apprendre s'affirmèrent, notamment dans le domaine des «humanités». Du coup, mes maîtres me propulsèrent au grand séminaire de la ville. J'y poursuivis ce qu'il faut bien appeler mon ascension, s'agissant du jeune homme plutôt cultivé, quoique partiellement, que j'étais devenu. Et un beau matin, je fus ordonné prêtre sans même que je m'en fusse aperçu, tant ces étapes avaient été couvertes rapidement. Évidemment, on se demandera : ce jeune prêtre encore crotté avait-il la foi ? Il serait inconvenant, à mes yeux, de s'attarder sur cette question, et, de toute façon, il est maintenant bien trop tard. Mais ce ne l'était pas, jadis, quand à 23 ans j'atterris en Oranie. Certes, je fus toujours, et dès mon plus jeune âge, fort attentif à autrui, prompt à soulager les souffrances et les chagrins de mes camarades quand cela me semblait possible, l'esprit de charité habitait en moi du plus loin que je me souvienne. Mais cela ne suffit pas à faire un vrai prêtre. De telles dispositions existent aussi chez des athées, des laïques. Et puis, à 23 ans, il est encore possible de tout lâcher, tentation insidieuse et délétère que m'envoya Satan après la mort de Jean-Michel Leutier, à laquelle je sus résister, justement grâce à une foi dont l'authenticité et la force se révélèrent à moi vraiment pour la première fois en cette période si éprouvante et incertaine. Au sujet de la réalité de cette foi en ma jeunesse, j'ajouterai qu'en tout état de cause ce n'est pas mon histoire que j'écris mais celle de Leutier.

J'avais choisi d'effectuer mon service militaire en Algérie. Mon état de prêtre ne m'en dispensait pas, ce qui m'apparaissait naturel quand tous les jeunes gens de mon âge étaient envoyés là-bas. Je fus affecté au 6ᵉ RIM, stationné en Oranie, dans la région d'Aïn-Témouchent, où j'arrivai à la mi-mars 1960. Aussitôt, on me fixa les tâches : visiter les cantonnements répartis alentour, dire les messes, apporter la communion à ceux qui se manifestaient, sous les tentes ou en plein air, visiter aussi les hôpitaux, participer aux opérations, non armé, mais dans les PC (postes de commandement). Ainsi fis-je, exempté de « crapahutages » et autres « bouclages » et « ratissages », échappant aux engagements et aux embuscades. Je fus logé dans une chambre du presbytère de la cathédrale à deux flèches d'Aïn-Témouchent. On mit une jeep et un chauffeur à ma disposition pour mes déplacements jusqu'au jour où je sus conduire moi-même. Voilà. Au début avril 1960, lors de ma première visite à l'hôpital de Béni-Saf, une merveille de petit port à une trentaine de kms d'Aïn-Témouchent, je m'enquis des malades et des blessés militaires, ce qui entrait dans mes attributions officielles, n'excluait pas une assistance chrétienne à tout patient civil le requérant, mais, en principe, il y avait pour eux l'abbé de Béni-Saf, voire le curé d'Aïn-Témouchent, en cas de besoin. Je compris très vite qu'ils voyaient d'un bon œil les services que je pouvais rendre et qui leur ménageaient du temps libre qu'ils consacraient aux multiples tâches qui leur incombaient. Car eux aussi se déplaçaient beaucoup et ils étaient, finalement, moins protégés que moi. Se souvenir d'eux, de la bienveillance de leur accueil, de leurs conseils judicieux, tandis que j'écris ces lignes, n'est que justice. L'hôpital m'ouvrit ainsi ses dossiers, et j'y découvris deux soldats et un sous-officier atteints d'affections ordinaires, un autre soldat victime d'une crise assez virulente de paludisme, et, enfin, un lieutenant fraîchement nommé à ce grade hors le circuit des promotions hiérarchiques courantes, et pour faits de guerre. Intrigué, je consultai son dossier plus avant, et voici, en substance, ce que j'y lus. Nom : Leutier, prénom : Jean-Michel, âge : 25 ans, entrée en service : 1956, après résiliation de sursis, école des officiers de réserve de Cherchell, nommé aspirant au 01/01/1957, affecté à Cacherou au 6ᵉ Chasseurs, décide de rester mobilisé au terme des 18 mois de service règlementaires, nommé sous-lieutenant en 1958, grièvement blessé la même année à l'oued Thât, près de Frenda, en dégageant quasi seul au fusil-mitrailleur tenu à bras un groupe de sa section encerclé par l'ennemi. Croix de la Valeur militaire avec citation à l'ordre de la Division. Rétabli, repart au baroud à sa demande. À nouveau blessé du côté de Tiaret lors d'une embuscade en février 1960 où, son capitaine tué, il prend le commandement du convoi et en même temps des risques immenses à la tête du peloton et continue de donner ses ordres en dépit d'une poitrine et d'une cuisse perforées. Sauvé de justesse grâce aux soins d'urgence prodigués par le médecin-aspirant Larry présent sur les lieux. Nommé lieutenant. Reçoit la Légion d'honneur à titre militaire. Opéré à Oran. En convalescence près de sa famille à l'hôpital de Béni-Saf, plus ou moins rafistolé, dans un état jugé précaire par les chirurgiens et les médecins, à cause d'un organisme extrêmement affaibli et, cette fois, à peu près sûrement incapable de remonter la pente malgré les soins, certaines de ses blessures portant des cicatrices fragiles.

Pour ces raisons, envoyé à l'hôpital de Béni-Saf flambant neuf, moderne, avec traitements appropriés, quasiment dans sa famille, plutôt que dans l'un des établissements militaires réservés aux grands blessés.

Un convalescent qui s'inscrivait à la perfection dans ma mission d'aumônier. Un dossier qui m'avait laissé baba. Et qui, cependant, soulevait déjà en moi des questions, comportait quelques étrangetés. Par exemple, cette brusque décision de résilier son sursis dès sa licence en droit obtenue quand il aurait pu enchaîner jusqu'à son diplôme d'avocat sans souci avant de remplir son devoir en partant au service militaire. J'obtins de lui une explication plus tard. À l'instar de tant d'autres, il avait reçu le 1er novembre 1954 et son cortège d'assassinats et d'exactions comme un coup de bambou sur la tête. Ainsi, Abane avait dit vrai. Mais surtout, l'un des meilleurs amis de ses parents, un commerçant honnête et joyeux d'Aïn-Témouchent, avait été tué sur la route entre Aïn-Témouchent et Oran. Leutier avait dit alors à son père qui n'exigeait rien de ce genre : le barreau attendra. Il ne resterait pas les bras croisés, tranquillement, à Toulouse, lors même que sa propre famille courait de si grands risques. Il combattrait les fellaghas qui semaient la terreur et répandaient le sang dans son pays natal. Ces mobiles se défendaient. En tout cas, à l'époque, en 1955. Mais, m'intriguait tout autant sinon bien plus cette propension à affronter le danger au premier rang, ce qui, dès mes débuts à l'hôpital de Béni-Saf, me turlupina, au point que se logea dans un coin de ma cervelle l'idée qu'il me serait utile, instructif, de consulter plus en détail son dossier militaire, ce que rendait assez aisé ma qualité d'aumônier.

Nous nous accordâmes d'emblée, puis nous nous plûmes, et la confiance s'instaura entre nous. Ma présentation à lui fut des plus simples et des plus franches, ce qui le prévint tout de suite en ma faveur. Voici : je n'étais qu'un modeste aumônier, juste sorti du grand séminaire, effectuant son service militaire, issu d'une famille nombreuse écrasée par la misère au cœur du massif Central, sauvé du naufrage par les bourses et des dispositions pour les études, sans autre expérience de la vie ni de la psychologie humaine, affecté à Aïn-Témouchent par hasard... Que je vienne à lui, sur cette plage, devant son transat, ne répondait à aucune curiosité malsaine, encore moins une envie maligne de l'importuner si peu que ce fût, mais il fallait bien que j'assume ce début de sacerdoce dans les lieux que l'on m'avait assignés quand j'aurais de loin préféré rejoindre quelque poste dans ma montagne natale où il y avait tant à faire, mais il se trouvait que tous les garçons valides de mon âge étaient expédiés ici, en Algérie, et je n'avais rien entrepris pour l'éviter en excipant de l'aide que ma famille attendait de moi, quoique je ne fusse aucunement habité par une ardeur belliqueuse… Et donc, ayant non seulement pris connaissance de son dossier hospitalier mais aussi de ceux des quatre autres militaires soignés ici, précaution bien normale pour savoir à qui et à quoi j'avais affaire et ne pas commettre d'impair, j'en avais déjà visité deux, et voici que j'étais là, devant lui, attentif mais perplexe, ne sachant si ma présence se révélerait pour lui encombrante ou un tant soit peu bénéfique ni, surtout, ce qu'un «petit curé» en herbe comme moi pourrait bien apporter au grand soldat qu'il était assurément et au grand blessé qu'il demeurait, même au repos, d'après ce que j'avais compris.

Et c'est cela, cette expression de «petit curé», qui l'amusa, le détendit sur-le-champ, suscita chez lui une sympathie immédiate, très perceptible, au point qu'il devait l'adopter jusqu'à la fin.

Son père, maintenant. En ce printemps 1953, tandis que Jean-Michel cherchait une solution pour se rendre à la librairie indiquée par Abane, ce qui n'allait pas de soi car, en qualité d'interne, il ne pouvait seul et sans autorisation quitter le lycée à sa guise, ce qui n'excluait pas que pour des courses rapides le concierge et certains surveillants généraux ferment les yeux; tandis aussi qu'il devait calmer l'agacement de sa tante de Pinsaguel privée de son neveu le samedi et le dimanche, ce qui contrevenait au contrat conclu avec son frère d'Algérie, et qu'il devait surmonter une sourde réticence à acheter publiquement des œuvres réputées subversives à cette époque, et, les exhiber ou, pire encore, se sentir obligé de les dissimuler à ses condisciples, tandis donc que Jean-Michel touillait ces pensées parasites et culpabilisantes, mesurant peu à peu, au long de la semaine ayant suivi la première rencontre d'Albi, combien curieux et perturbants se révélaient les effets de ladite rencontre, eh bien, le père Leutier, lui, assumait avec sa conscience et son sens du devoir habituels ses servitudes de sous-officier à la gendarmerie d'Aïn-Témouchent. Leutier était un robuste breton, franc du collier, guère imaginatif, écolier appliqué à l'école communale de Grandschamps-des-Fontaines puis au cours complémentaire de Nantes, enfin à l'École de gendarmerie Soldat-Morzadec-Plonéour-Lanvern, en Finistère, ainsi nommée en hommage à un poilu tué au front en 1917. Le père Leutier avait choisi, en troisième affectation, l'Algérie pour se dépayser. Il atterrit à Aïn-Témouchent où il épousa une demoiselle Cervantès, originaire de Béni-Saf, une infirmière de caractère, pacifiste sous l'influence d'un grand-père rescapé de la boucherie de 1914-1918. Dans le domaine politique, elle dominait son mari, dont l'esprit était moins délié que le sien. Voilà ce que je finis par apprendre et constatai ensuite puisque j'eus l'occasion de les voir souvent lors de mon séjour là-bas. Mes attentions à l'endroit de leur fils m'avaient attiré la sympathie chaleureuse des parents : comment l'avez-vous trouvé aujourd'hui ? ne manquaient-ils pas de me demander chaque soir. Mais, de jour en jour, ma situation se compliquait vis-à-vis d'eux. D'abord, c'était la guerre (et non la pacification, comme on se plaisait à le proclamer un peu partout), et cette guerre, en 1960, ne s'arrangeait pas en dépit des opérations efficaces du général Challe. D'autre part, je ne leur racontais pas tout de mes conversations avec leur fils. Chaque jour qui passait m'apportait les révélations, les opinions d'un Jean-Michel en souffrance, et, comme ils me parlaient, je songeais toujours : les pauvres, s'ils savaient ce que pense leur fils de la situation et qu'il n'ose leur avouer, comme ils seraient malheureux... Un sentiment qui atteignit chez moi un paroxysme dès que le lieutenant m'eut narré cette affaire véritablement bouleversante de Zelemta.

Avant le conflit algérien, Leutier et sa femme vivaient heureux et optimistes. Lui, mesurant chaque jour le chemin parcouru, n'oubliait pas la misère de ses parents et de ses grands-parents collés aux monts d'Arrée, ce massif breton encore plus rude que ma montagne natale. Il était devenu gendarme et moi, de la génération suivante, serviteur de Dieu. Ces destins parallèles me rapprochaient de lui et faisaient que je le comprenais peut-être, à certains égards, mieux que son entourage. Un soir, il s'était épanché en évoquant le cœur très gros ses copains qui, eux, n'avaient eu ni les moyens ni l'opportunité de s'arracher à ce lieu de destruction des hommes et des esprits, et cette évocation m'avait ramené moi-même à mon enfance et à mes camarades, mes voisins, mes condisciples, certes issus de parents de l'âge de M. Leutier mais dérivant, tout comme leurs géniteurs, à travers les forêts de Botmeur, Commana et Brasparts.

Ici, je ne puis me dispenser de ressusciter l'extraordinaire figure du rebelle inspiré Xavier Grall, ayant eu le privilège de le côtoyer quand il écrivait dans *Témoignage chrétien*, je revois encore devant moi ce visage illuminé d'un mélange inhabituel de violence et de douceur, taillé à coups de serpe, le deuxième personnage, après Jean-Michel Leutier, qui ait marqué mon existence, même si je ne fus point son intime. Que dire de son poème poignant intitulé *Les Déments*, jailli du fin fond de la Bretagne sombre mais, en raison de la désertification et de la mort de nos villages, ayant, désormais, une portée universelle : les « déments » errant maintenant partout en nos campagnes et montagnes, partout en Europe, et bientôt partout dans le monde. Un Xavier Grall, au demeurant, lui-même ancien d'Algérie et si traumatisé par cette guerre et par la politique sans foi ni loi de cette France qu'il aimait tant qu'il se détacha d'elle pour revenir à sa Bretagne. «J'ai fait la guerre d'Algérie, dans le soleil des loups mes yeux se sont ouverts, a-t-il écrit. Déchirante révélation. Du Djebel Amour à la Montagne Noire, que de similitudes. Même tyran : l'État français. Même victime : le paysan. Même flic : le CRS… Quand on a vu la France torturer, on ne peut mettre que des bémols à la chanson dont on nous avait bercés… L'image de la France que je m'étais formée, très haute et pour ainsi dire mystique, se trouva à jamais ternie.»

Grall n'était plus français. Il était devenu breton. Voici que je me dis que je ne puis échapper à un devoir à la mémoire de ce poète qui repose, presque inconnu ailleurs qu'en sa natale Bretagne, au cimetière de Landivisiau, le devoir d'inscrire ici au moins quelques-uns des vers de ces *Déments* :

Les déments de l'Arrée sans descendance
Éteignent les vieux clans campagnards
Des gerbes et des meules
Ils ont refusé l'exil, l'usine et l'encan
Et la vie qui marche a piétiné leur raison
Leur laissant le quignon la soif et la misère
Et les grands chiens galeux des désastres fermiers
Lèchent leurs pieds jaunes sous les tables rondes
Par les chemins noirs
De l'Arrée
Où vont-ils les déments
À quel Orme
Pour quel suicide ?

Voilà ce à quoi nous avons échappé le gendarme Leutier et moi, «petit curé», grâce à nos maîtres d'école qui nous ont hissés jusqu'au certificat d'études, longtemps la clef de nos avenirs de paysans crottés. D'ailleurs, honte à moi, depuis la mort de mes parents, je n'ose plus retourner au pays, terrifié à la perspective

de croiser au détour de tel ou tel chemin creux ces
«déments» qui furent jadis mes camarades d'enfance.
Le père Leutier, lui, avait poussé énergiquement
son fils au travail, à l'assiduité, avant de consentir, avec
l'appui résolu de sa femme, à de nombreux sacrifices
pour l'envoyer en internat dans l'un des meilleurs lycées
de France.

En cette année 1953, les notes de l'élève Leutier
n'étaient pas seulement bonnes mais prometteuses selon
ses professeurs. Payés de leurs efforts, les parents rayon-
naient de satisfaction et d'espérance : Jean-Michel, leur
fils unique, avançait sur de bons rails.

– Vous savez, petit curé, je me suis toujours senti
plus proche de ma mère que de mon père, c'est comme
ça, alors qu'il n'a rien à se reprocher à mon égard, au
contraire, ses qualités humaines sont indéniables, son
courage, sa volonté de s'en sortir, son honnêteté, et,
sous des dehors bourrus, sa sensibilité sont indéniables
aussi, mais il pèche par manque à peu près absolu
d'imagination, de capacité à anticiper, ce qui fait que je
m'interdis de me confier à lui pour les graves sujets qui
me préoccupent, et les rares fois où je me suis affranchi
de cette règle, je l'ai regretté, c'est dommage mais c'est
comme ça, et maintenant c'est trop tard, bien trop tard,
il n'aura jamais vraiment connu son fils, il aura vécu avec
une idée intangible de lui, à l'heure où je parle, je ne suis
à ses yeux, même dans l'état où vous me voyez et dont

vous apercevez sans peine le dénouement, qu'un futur avocat doublé d'un héros de l'armée française, ce qui non seulement le récompense au centuple de ses efforts mais dépasse ses espérances, voilà, bientôt je ne serai plus de ce monde et il ne l'imagine pas une seconde, au contraire de ma mère qui n'ose pas l'édifier, elle qui paraît avoir compris et la gravité de mon état de santé et celle de la situation politique en Algérie, et cependant, par pudeur, et afin de ne pas gâcher la petite heure où nous restons ensemble, elle ne me parle jamais de tout cela, elle me rapporte des nouvelles de nos amis et de nos relations... De plus, elle me semble avoir subodoré, la fine mouche, que quelque chose d'indicible s'est produit lors de mes opérations militaires, peut-être songe-t-elle à quelque bavure voire à un épisode de torture, car il lui est évidemment impossible d'imaginer ce qui me ronge, quant à mon père, comme il n'a pas la moindre idée de tout ce que je viens de vous dire, il ne se doute de rien de tel, sinon il s'écroulerait de très haut, il est confiant, fier de moi, bénissant Dieu que je sois encore vivant, attendant que je guérisse et que je m'exfiltre de cette guerre, mes états de service le permettant, et ce décalage tragique entre ses espoirs et la réalité engendre chez moi plus qu'un malaise, une anomalie culpabilisante puisque je le laisse barboter dans ses illusions et que, de plus, j'ai beau chercher, je n'aperçois rien que je puisse lui reprocher, ah, petit curé, j'ai du mal à tenir le coup pendant une heure, à lui réciter inlassablement les détails de mes faits d'armes qu'il n'est jamais fatigué d'entendre...

Rétrospectivement, on comprend pourquoi Jean-Michel a tardé à instruire sa famille, en particulier son père, de sa rencontre avec Abane Ramdane. S'il l'avait fait dès le lendemain de sa première visite, la finesse de la mère et l'énergie d'un père qui, alors, gardait intacte une réelle autorité, aussitôt mises en œuvre, l'eussent peut-être dissuadé d'accomplir les pas suivants. Mais est-ce si sûr ? Après tout, visiter un prisonnier politique algérien en 1953 dans une prison française partait plutôt d'un bon sentiment pour un lycéen pied-noir et nul ne disposait du pouvoir de prédire un avenir si ahurissant. Un point paraît remarquable : le gendarme «service-service», guère entraîné aux spéculations philoso-phiques dont son fils tâtait au lycée ni même enclin aux états d'âme, devait m'avouer que, malgré tout, il avait encaissé un choc dès son débarquement de la *Ville d'Oran*, à l'instar, d'ailleurs, d'à peu près tous les métropolitains qui découvraient l'Algérie. Notamment des soldats du contingent, ce qui, plus tard, jouerait un rôle majeur dans leurs opinions sur cette guerre, au détriment des pieds-noirs en révolte. Un simple coup d'œil suffisait, en effet, à saisir qu'une minorité d'Euro-péens côtoyait une majorité d'indigènes sans s'y mêler vraiment, que celle-ci vivait en situation de soumission, laquelle ne dépendait pas du statut social mais de la race et de la religion. Même les bachaghas les plus huppés demeuraient des «melons» aux yeux des plus humbles Européens. Tout semblablement à ceux de leurs interlocuteurs ou partenaires «français de souche» avec lesquels ils étaient en affaires. Soit dit en passant, si cette méfiance était choquante pour qui la découvrait, elle devait, au long de la guerre, s'avérer le plus souvent justifiée car, de l'ouvrier agricole «serviteur de la famille du colon depuis des générations» au négociant musulman notable et stockant les récoltes d'oignons, presque tous, et, au contraire de ce que l'on a prétendu, plus de gré que de force, ont soutenu en sous-main la révolution.

Voici ce qui avait été souligné précédemment mais méritait qu'on y insistât : le moindre «petit Blanc», s'il était loin au-dessous des industriels d'Alger ou d'Oran et des gros colons de la Mitidja, restait, quoi qu'il en fût, membre de la communauté européenne, et, à cet égard, même «prolétarisé», se distinguait des «Arabes». Quant à un sous-officier de gendarmerie, jouissant en métropole d'un statut certes estimable et estimé mais relativement banal, là-bas, européen et, de surcroît, détenteur de l'autorité, il se voyait propulsé, bien malgré lui, au-dessus du pavé. Par exemple, au lendemain de leur mariage, leurs deux salaires se cumulant, à quoi s'ajoutait le logement de fonction, permirent aux Leutier, à compte dérisoire, de s'entourer d'une domestique, et même d'une deuxième après les couches de madame, puis d'en garder une par la suite en permanence, une brave femme inculte parlant un français approximatif (ce qui obligea la famille à apprendre l'arabe parlé), une femme vaillante, dévouée aux Leutier. Jusqu'au jour où, peu après les accords d'Évian, la foudre s'abattit sur la gendarmerie : en réalité, cette femme parlait très bien le français et avait, durant ses années de service, régulièrement transmis aux chefs de la wilaya d'Oranie des informations concernant les activités de son maître et de ses collègues. C'était cela la «lutte révolutionnaire». Et aussi bien là le problème.

Autre exemple, s'il en fallait : mère d'une pauvre et nombreuse famille, femme d'un homme employé dans les grosses fermes des environs, j'appris plus tard, juste avant mon départ d'Aïn-Témouchent, que l'un de ses fils avait lancé une bombe sur la promenade de Béni-Saf.

Mais nous n'en sommes pas là. Nous sommes encore en 1953 à Toulouse, une semaine après que Leutier Jean-Michel et Abane Ramdane avaient fait connaissance. Il s'agissait alors pour le lycéen à la fois de se reconcentrer sur son travail et de se rendre à la librairie de la rue du Tort, par bonheur proche du lycée, *le Libre Lecteur*, tenue par un certain M. Gabriel, enfin de calmer la contrariété de sa tante de Pinsaguel de qui il avait reçu un mot lui demandant assez aigrement s'il irait de nouveau à Albi le prochain week-end. Le printemps s'épanouissait. Le dernier trimestre s'annonçait. Et dans à peine deux mois et demi, il faudrait se présenter à la deuxième partie du baccalauréat. Ce que ne redoutait pas l'excellent élève qu'était Jean-Michel mais qu'il convenait d'affronter avec sérieux. Après quoi viendraient les vacances à l'occasion desquelles il retrouverait sa famille et sa bonne et belle ville d'Oranie. Ces perspectives étaient apaisantes. Elles permirent au lycéen de relativiser un temps ses tracas inattendus. Et de maintenir presque intacte sa passion pour Rolande Jouli, encore que tout à coup il en apercevait confusément, à cause de la profondeur des questions soulevées par Abane dans sa prison, l'ombre d'une certaine futilité et d'une fugacité prévisible. Pour l'heure, le bon élève ne distinguait pas de complications réelles se profiler à l'horizon. Sauf qu'il n'avait pas décidé de ne plus voir Abane. Qu'il éprouvait, au contraire, au fond de lui, une sorte d'attraction pour le personnage, que celui-ci valait le détour, qu'il devait même profiter de ce hasard pour explorer, grâce à lui, des territoires dont il n'avait pas même soupçonné l'existence : révolution, libération, colonisation, etc.

Certes, il ne raisonnait pas tout à fait en ces termes, en tout cas pas encore, mais c'était tout comme.

— Et cependant, petit curé, je vous assure que mes parents, tout en s'accommodant des us et coutumes du pays, des privilèges qu'ils leur procuraient, n'en abusèrent jamais, qu'ils auraient trouvé normal que les musulmans jouissent des mêmes droits que les Européens, qu'ils ne se privaient pas de le dire à qui voulait bien l'entendre, surtout ma mère, issue d'une famille, les Cervantès de Béni-Saf, qui comptait plusieurs membres adhérents de la SFIO, certains syndiqués, et même un cousin communiste… Ces gens sont prêts à plein de concessions politiques mais ils ne le sont pas à partir, à quitter leur terre natale, leur mode de vie, leurs cimetières…, et maintenant, je vous le répète, il est trop tard, beaucoup trop tard, et même, je vous le dis, pour nous pieds-noirs, c'est fini… Comment faire comprendre cela à mes parents, ils y croient encore, bientôt ils auront perdu et leur pays et leur fils, comment survivront-ils ? C'est cela qui m'accable, et, face à cela, mon sentiment d'impuissance contre lequel il n'est pas de piqûres efficientes… Un de ces jours prochains, ils devront faire leurs valises, heureusement pour moi, je ne le verrai pas… Ne me croyez pas exagérément pessimiste, je suis seulement réaliste, et, voyez-vous, rétrospectivement, ces entretiens de naguère avec Abane, alors que j'étais encore trop jeune pour les interpréter correctement, m'ont plus ou moins préparé à cette situation, le reste, mes opérations dans les djebels et dans les douars, a complété, en quelque sorte, mon éducation politique, et, malgré nos indiscutables succès militaires, la destruction ou la désorganisation profonde de katibas entières et des réseaux de commandement FLN, la mort de chefs prestigieux de leur révolution, on a longtemps dit, pudiquement, leur « rébellion », ce qui me rappelait dans les derniers temps la fameuse réponse de Louis XVI au duc de Liancourt, que vous connaissez sûrement, à l'annonce de la prise de la Bastille, le roi s'en indignant tout en continuant à polir ses serrures : « Mais c'est une révolte ! »... « Mais non, sire, c'est une révolution »... Semblablement, nos politiques, nos notables s'écrient toujours à pleins poumons : c'est une rébellion ! Mais non, petit curé, c'est une authentique révolution dont j'ai connu le principal penseur et dirigeant quand j'avais 18 ans... C'est encore si proche alors que ça me paraît si loin...

Derechef, le lieutenant Leutier s'était interrompu, épuisé. C'était l'heure d'une longue, très longue pause, inaugurée par une piqûre appropriée. Il fallait alors attendre le temps nécessaire à une récupération précaire pour l'inviter doucement à narrer la suite des événements précédant le baccalauréat. Et d'abord, le compromis avec sa tante sourcilleuse.

Pinsaguel se situait à seulement 15 kms de Toulouse. Ce n'était pas la mer à boire. À sa demande, elle vint le voir le jeudi avant le deuxième week-end à Albi. Et là, il lui avoua sa passion. Ce qu'elle comprit aisément, en bonne tante qu'elle était, jugeant même que c'était là la seule raison susceptible de trouver grâce à ses yeux. Ils convinrent de se voir le jeudi, jour où l'institutrice était libre. Elle le sortirait dans Toulouse. Mais elle estima de son devoir d'informer son frère de ce changement. Ce qui d'ailleurs fut fait sans entraîner de dommages. Ses parents s'estimèrent rassurés par le profil de la famille Jouli et comprirent, eux aussi, ces élans d'adolescence. Ils préféraient de loin cette liaison à toute autre moins identifiable. Cependant, Jean-Michel garda par-devers lui sa rencontre avec Abane. Et cette dissimulation lui encombra le cerveau, alourdit sa conscience plus qu'il ne l'aurait prévu. Cela signifiait-il qu'il accordait une importance démesurée à cette affaire ? Présage d'un avenir compliqué de ses relations avec le prisonnier ? Où s'enracinait ce malaise ? Sans aucun doute dans ce qu'il avait entendu tomber de la bouche du révolutionnaire qui, au fond, lui avait brossé en peu de mots le tableau de la fin de son Algérie, l'Algérie française. Derrière les touches rassurantes peignant un futur politique libre et solidaire, ouvert aux hommes et aux femmes de toutes confessions et origines, s'était esquissée une vision dure, très dure, d'un statut où les droits des pieds-noirs volaient en éclats. Voilà. On n'avait jamais parlé ainsi de l'Algérie au jeune homme. Cela l'effrayait et le fascinait tout à la fois. Et se révélait facile à analyser sept ans après, quand au lycéen tendre et naïf s'était substitué un combattant aguerri et couvert de médailles.

Il revint à Albi le week-end suivant, ayant pris soin d'acheter une petite broche typiquement toulousaine figurant quatre violettes habilement agencées, manière, peut-être, de se faire pardonner par Rolande l'intrusion parasitaire de ce détenu algérien dans leur jeune existence. Quoiqu'il ait soigneusement dissimulé l'importance spécifique de l'intérêt que leur première rencontre avait soulevé aux parents Jouli, à Rolande, mais aussi à son ami Jacques. Tout était mis sur le compte d'un hasard qui avait mis en présence deux Algériens nostalgiques de leur terre natale. Et après tout, cela pouvait se concevoir.

Il avait aussi fallu trouver un moyen de s'exfiltrer clandestinement du lycée pour aller à la librairie de la rue du Tort. Ce qui fut fait sans anicroche à l'heure du déjeuner.

Une centaine de pensionnaires se pressaient au réfectoire sous la surveillance débonnaire et routinière de trois agents de lycée qui circulaient dans l'allée centrale et s'arrêtaient souvent pour discuter de choses et d'autres avec les élèves qui les intéressaient particulièrement, les joueurs de rugby du lycée, la célèbre «Viollette», ou encore, pour le surveillant communiste, les élèves reconnus en tant que membres des Jeunesses du Parti. Ce qui permit à Leutier, dès ses hors-d'œuvre engloutis, de se déclarer repu et de s'éclipser en raison d'une révision intensive avant une composition de philo importante, de se faufiler discrètement à l'extérieur par la porte de sécurité de la cour des sixièmes, jamais fermée à clef sauf la nuit, et de se retrouver rue du Tort dans la librairie de M. Gabriel.

Ce qu'il avait conçu comme un simple et rapide achat se mua en une espèce d'examen politique impromptu qui prit l'allure d'une comparution quoique dénuée d'une quelconque agressivité. Le libraire, un échalas voûté d'une soixantaine d'années, le visage dévoré par deux grands yeux noirs fiévreux et rayonnants d'intelligence, accueillit Jean-Michel avec curiosité et circonspection. D'évidence, il se disait : que vient faire chez moi ce jeune homme inconnu ? La librairie s'étirait tout en longueur, laissant une place comptée aux mouvements des clients. Une sorte de corridor s'enfonçait vers d'autres espaces de l'arrière-boutique invisibles de l'entrée. Les livres s'imposaient partout, n'ayant cure de cette exiguïté : sur les murs, sur des tablettes longilignes surchargées, sur le comptoir. L'atmosphère confinée en était étouffante. À l'entrée de Jean-Michel, le libraire était seul mais, alertés par la clochette de la porte, un homme et une femme surgirent du fond du corridor, et, à leur tour, dévisagèrent le lycéen avec insistance. Celui-ci subit l'impression très désagréable d'être un intrus, de s'être trompé de boutique. Comme il ne se sentait déjà pas à l'aise d'avoir entrepris cette expédition à ses risques et périls, cet accueil lui ôta les moyens qui lui restaient. Si bien qu'il tarda à éclairer le libraire quand il s'enquit de ses intentions d'une voix cependant bienveillante teintée d'un accent espagnol, ayant sans doute compris l'extrême embarras du jeune homme. Lequel finit par expliquer :

– J'ai une liste pour M. Abane.

Une phrase qui agit alors comme une potion magique. Elle accrut la surprise du trio mais éclaira les visages. Il s'ensuivit le dialogue que voici :

– Comment connaissez-vous M. Abane ?

– En le visitant à la prison d'Albi.

– Vous êtes visiteur de prison ?

– Non, je vais en week-end chez un ami dont la famille s'occupe régulièrement des prisonniers, alors je l'accompagne, je suis lycéen à Pierre-de-Fermat, et comme je suis originaire d'Algérie, je l'ai intéressé, et réciproquement, il m'a chargé de lui rapporter des livres dont voici la liste, dimanche prochain.

– Vous le voyez depuis longtemps ?

– Non, c'était la première fois, mais je compte bien le visiter tant que je pourrai le faire et qu'il sera là.

– Pourquoi ?

– Parce que ce qu'il me dit sur l'Algérie m'intéresse.

– Et que vous dit-il ?

– Il me dit qu'un jour tous les habitants de l'Algérie jouiront des mêmes droits et qu'il agit pour ça.

– Je me souviens de cet accueil, petit curé, je me

suis cru un moment dans un commissariat de police, mais je compris plus tard que ce qui touchait Abane, même celui-ci en prison, rendait ces gens prudents et suspicieux à l'extrême, ce qui en disait long sur l'importance qu'ils accordaient au personnage, au point que M. Gabriel finit par fermer à clef la porte de la librairie et tout le monde se retrouva dans une arrière-salle bien plus vaste et moins exposée.

Jean-Michel n'avait pas prévu que prendre ces livres dont les titres figuraient sur cette liste se révélerait si compliqué. Il commença à s'inquiéter sérieusement que sa démarche ne s'éternise, il ne disposait que d'un temps limité, il se trouvait illégalement à l'extérieur du lycée. Il se décida à leur expliquer tout cela. Ce qu'ils comprirent aussitôt. Mais, s'ils étaient passés à l'arrière, c'est qu'ils avaient à délibérer tranquillement d'un point : Abane Ramdane avait-il, en plus des livres, demandé aussi au jeune homme de lui rapporter autre chose ? Car ils détenaient deux documents qui certes, précisèrent-ils, n'étaient pas secrets absolument mais qui, cependant, exigeaient une certaine discrétion. Non, Abane n'avait donné que cette liste à Jean-Michel. En ce cas, avait déclaré le libraire Gabriel, on se limitera à ça aujourd'hui, mais posez-lui la question des documents, par ailleurs, nous aurions aimé parler avec vous de vos opinions sur l'Algérie puisque vous êtes de là-bas, mais votre temps est compté, on ne veut pas vous faire prendre, je vais vous faire un paquet, nous vous remercions pour Abane Ramdane, qui est un très bon client. Ils avaient ri. Maintenant, ils s'étaient détendus. Leutier avait regagné le lycée sans encombre, son absence était passée inaperçue, même de ses condisciples. Mais la découverte de cette librairie étrange qui, à certains égards, présentait une allure de repaire, juste après la rencontre du week-end précédent, fabriquait un enchaînement quelque peu surréaliste s'ingérant sans crier gare dans la vie paisible et studieuse du lycéen pensionnaire, la parasitait à l'excès, et l'idée que cette histoire d'Abane prît trop de proportions traversa son esprit tandis qu'il longeait à grands pas la place du Capitole. Et malgré tout, une force irrésistible quoique indéfinissable lui interdisait de briser là, ce qui, en théorie, lui eût été facile puisque rien de personnel ne l'attachait à ce détenu.

Au lycée, il entreposa ce paquet de livres dans son caisson de pensionnaire, fermé à clef, furtivement, comme s'il s'agissait d'un bien ou d'une marchandise hautement proscrite par le règlement. Et l'assaillit alors une bouffée de culpabilité. D'évidence tout autre prisonnier que celui-ci n'aurait eu si rapidement une si forte influence sur le jeune homme, mais voilà, il était natif d'Aïn-Témouchent et Abane ne lui avait même pas caché qu'il préparait la révolution algérienne. Un concours de circonstances explosif. La révolution en

Algérie ! C'est ce concept que l'élève de philosophie avait le plus grand mal à maîtriser, tant la perspective de devoir quitter ce pays, dénouement, à ses yeux, peut-être déjà inéluctable d'une éventuelle «révolution», lui était impossible à imaginer. Alors quoi d'autre? Des réformes? Oui, bien sûr. En quoi accorder des droits élémentaires aux Arabes et aux Berbères, égaux à ceux des Européens, nuirait-il à un gendarme et à une infirmière? Certes, c'était là une vision égoïste des choses, voire étriquée, mais cela valait tout autant pour un coiffeur, un cantonnier, un conducteur d'autobus, un épicier, etc. Nombre d'Européens exerçaient ces modestes métiers, tous n'étaient pas, loin de là, des colons «prédateurs et usurpateurs», eux-mêmes aussi éloignés du prolétariat européen que du prolétariat indigène. Alors, on pourrait très sûrement s'arranger. Le lycéen se surprit, les jours précédant son deuxième week-end, à mâcher et remâcher, parfois en plein milieu des cours, ce qui finit par le déranger. Par bonheur, il avait, ancrés en lui, le goût du travail, l'énergie et la volonté de réussir, de renvoyer l'ascenseur à ses parents, et il était pourvu d'une intelligence qui, sans atteindre des sommets, se révélait au fil du temps nettement au-dessus de la moyenne, et tout cela le maintenait solidement dans le peloton de tête de sa classe de philo, laquelle, succédant à une classe de première dite «B» à cette époque (c'est-à-dire avec deux langues vivantes et le latin), dotait un bon élève suivant scrupuleusement les directives et conseils des maîtres, par exemple les lectures non obligatoires d'ouvrages complétant le programme (auxquelles s'astreignait sans déplaisir Jean-Michel), d'une culture assez étendue pour des jeunes gens de cet âge : livrés à eux-mêmes, ils n'y auraient guère eu accès.

Cette incidente explique certaines saillies, plus tard, du lieutenant, des citations restituées de mémoire par un cerveau intact branché sur un corps exténué, tombées de la bouche de tel ou tel professeur (Voltaire : un chaos d'idées claires – le Panthéon, bric-à-brac de l'immortalité) ou recueillies au fil de ces lectures facultatives, dans Camus, notamment, écrivain pied-noir admiré du lycéen. Oui, notre licencié en droit sous l'uniforme, luttant désespérément contre les séquelles de graves blessures reçues au combat, était un homme cultivé, bien plus que ne le fut Abane, empli d'un savoir à sens unique. Qu'on s'en pénètre afin de ne point céder à un étonnement sceptique quand, ici ou là, au long de ce récit, cette culture, au demeurant surtout littéraire, viendra à se manifester.

Avec son paquet de livres, flanqué de Jacques dont la famille ne se sentait guère concernée par cette exclusivité qui se dessinait dans les visites de Leutier à Abane, il se rendit à Albi. Les Jouli l'expliquaient, au fond à juste titre, par le lien algérien les attachant l'un à l'autre. Ils en prenaient acte avec équanimité. Le prisonnier autant que le pensionnaire souffraient de leur éloignement du pays natal et il était dans l'ordre des choses qu'ils sympathisent. En sorte que, durant cette phase albigeoise, les deux «Algériens» furent laissés seuls et tranquilles sans que nul n'y vît d'inconvénient. À cela s'ajoutait un fait remarquable et répandu en France dans à peu près toutes les couches sociales et qui pesa lourd sur l'évolution des événements ultérieurs : l'Algérie n'était pas seulement loin de Paris, elle était inconnue du peuple français. Celui-ci n'en percevait qu'une caricature : les caravanes, les dattes, les chéchias, les belles Berbères. À quoi se superposait l'image que les pieds-noirs en offraient quand ils apparaissaient en métropole, ou tout au moins ceux qui pouvaient se le payer, en vacances ou pour affaires, engendrant même une certaine animosité : hâbleurs, bourrés aux as, affichant leur prospérité, parlant des «Arabes» comme d'une sous-engeance, avec un cortège de mots les désignant plus péjoratifs les uns que les autres. Bien sûr, il s'agissait là d'une minorité, mais l'idée qu'ils donnèrent de leur communauté devait avoir des effets ravageurs.

C'est ainsi que les Jouli, quant à eux, bien avant le début de ce qu'on appela pudiquement les «événements», se fichaient éperdument de l'Algérie. Leur amour de la patrie se cantonnait à l'Hexagone. À l'instar de millions d'autres Français, ils n'étaient nullement disposés à mourir pour l'Algérie française. Comble d'infortune pour les pieds-noirs soudain menacés par les « rebelles », les « félouzes », leurs défenseurs zélés en métropole appartenaient à la frange politique extrémiste ne représentant souvent qu'eux-mêmes. Les premières années de la guerre où l'on vit les gouvernements de la République tenter d'étouffer la « rébellion » en mobilisant le contingent firent illusion. Le peuple était absent du combat. Les Jouli estimèrent que celui-ci ne les concernait pas car ils n'avaient colonisé personne, eux. Pas de cas de conscience. L'Algérie n'était pas l'Alsace-Lorraine. Leurs ancêtres n'avaient pas traversé la mer. En conséquence, ils ne se sentaient pas liés à ce département exotique. Curieusement, l'immense « Afrique noire », l'AOF, l'AEF, leur parlait davantage, ses imageries s'étant multipliées, et les explorateurs hardis avaient, dans la mémoire collective, juché Bamako et Tombouctou au-dessus d'Alger. Sans compter que chacun savait que ces vastes contrées nous fournissaient quantité de matières premières. Voilà qui explique en très grande partie l'abandon de l'Algérie. Le peuple n'avait pas versé de trop lourdes larmes devant l'expulsion de cette masse d'Européens modestes chassés tragiquement de leurs terres. Il les avait accueillis correctement, sans plus, ce qui était bien le moins. On s'était serré les coudes. De Gaulle l'avait tôt compris : le peuple ne bougerait pas le petit doigt. Le père Jouli, qui travaillait dur au développement de sa ferblanterie-quincaillerie, n'avait, sans doute, jamais consacré une heure de réflexion à l'Algérie depuis qu'à l'école on lui avait enseigné que c'était là un ensemble de trois départements français, tout comme le Tarn ou le Lot-et-Garonne. Cependant, si, par hasard, on le sollicitait là-dessus, il avait son idée, laquelle avait percé, un samedi, lors d'un déjeuner en présence de Jean-Michel, où il avait murmuré, dubitatif, branlant du chef : « Vous verrez, ces gens-là, là-bas, ils finiront par vous mettre dehors. »

Réflexion que Jean-Michel ne devait pas oublier car elle se conjuguait aux projets avoués d'Abane, et pourtant elle ne venait pas d'un révolutionnaire mais d'un petit entrepreneur de la France dite profonde. Le jeune pied-noir, qui n'avait jamais éprouvé de doute quant à la pérennité de ces départements français d'Algérie, ne s'était pas même posé la question, s'en trouvait soudain environné. C'était sa « révélation » à lui : celle d'Albi.

Et donc, ce deuxième dimanche de visite, à peine arrivés à la prison, Mme Jouli avait dit :

– Bon, allez voir votre compatriote, ne vous souciez pas de nous, il doit vous attendre avec impatience.

En vérité, elle se trompait. Abane était un détenu très occupé et sollicité, il était satisfait de revoir Jean-Michel mais ce n'était pas pour lui un rendez-vous crucial. Depuis qu'il avait obtenu le statut de prisonnier politique, il en usait et, parfois, grâce à la faiblesse du directeur de la prison, il en abusait, par exemple en réunissant plusieurs visiteurs en sa confortable cellule avec consigne de ne pas le déranger. Au fond, il dirigeait déjà d'Albi la révolution, en relation avec des militants alors encore inconnus mais promis à de hautes responsabilités dans l'appareil militant clandestin.

Quand Jean-Michel le visita pour la deuxième fois, Abane l'avait presque oublié. Certes, il lui avait commandé des livres, mais il en recevait des dizaines pour assouvir sa boulimie de lecture, profitant de sa détention afin de rattraper son retard culturel, surtout dans le domaine de la pensée et de la théorie politique, économique et sociale. Le surgissement du jeune pied-noir dans sa vie représentait à ses yeux un événement mineur. À son égard, il était mû par la curiosité, l'agrément, aussi, d'évoquer des lieux qu'ils connaissaient l'un et l'autre. Peut-être, qui sait, le très secret espoir de l'utiliser un jour en l'attirant patiemment dans l'un de ces réseaux qui réunirent des Français de souche, d'Algérie et de métropole, qui devaient aider le FLN et «porter ses valises» ainsi qu'il fut dit plus tard. Leutier était un lycéen intelligent mais politiquement immature, Abane, lui, n'était pas n'importe qui en 1953. Sur lui, bien des militants fondaient de grands espoirs. Les Français de la rue du Tort n'étaient pas des libraires ordinaires mais des partisans d'une Algérie indépendante, d'extrême gauche, de gauche, anarchistes, libertaires, dont le lieu de ralliement à Toulouse était les deux arrière-salles du *Libre Lecteur*. Ils avaient eu du mal à croire que ce lycéen emprunté avait été envoyé par Abane quand ils étaient bien placés pour savoir que, d'ordinaire, ils se chargeaient eux-mêmes de ce genre de commissions. Toulouse n'était pas loin d'Albi, 75 kms à peine. Finalement, Abane s'était presque amusé de la naïveté de Jean-Michel. Il l'avait expédié au *Libre Lecteur* sans même être sûr qu'il irait et qu'il reviendrait le voir le dimanche suivant. D'autant qu'il avait compris que ses raisons de visiter les prisonniers étaient artificielles, de l'aveu même du jeune homme, puisqu'elles ne constituaient qu'un alibi pour serrer de près la belle Rolande Jouli.

Il fallut à Jean-Michel une assez longue rétrospective avant de digérer (il utilisa devant moi l'expression chirurgicale « opérer ») ces « mois albigeois », de les analyser avec lucidité. Être un bon élève de philosophie ne suffisait pas à un pied-noir de 18 ans quelque peu déraciné pour déchiffrer pareil bonhomme et sa psychologie rouée.

– Il reste, petit curé, que je devais prendre un jour une éclatante revanche, lâcha-t-il, énigmatique, comme il me racontait cette période, car alors j'ignorais tout de la suite.

Quand Jean-Michel se présenta au prisonnier tout fier de lui avoir rendu le service demandé, Abane reçut son commissionnaire avec sympathie et intérêt, et le remercia même chaudement de l'aider ainsi quand rien ne l'y obligeait. Il feignit de s'enquérir de la qualité de l'accueil que lui avait réservé le libraire alors qu'il était sûrement déjà au courant de tout. Après quoi, ils reparlèrent de l'Algérie. De quoi d'autre auraient-ils parlé ? Abane demanda à son visiteur ce qu'il avait retenu de leur précédente conversation. Leutier se souvenait très bien de ce ton et cette attitude directifs pour ne pas dire autoritaires mais il ne s'en était pas formalisé. Après tout, il était, lui, âgé de 18 ans et son interlocuteur en avait 33, outre qu'il était, en plus, couturé de cicatrices dues à un militantisme révolutionnaire précoce, audacieux, dangereux, pour lequel il payait le prix fort. À 27 ans, il avait plongé dans la clandestinité, abandonnant toutes les possibilités de carrière dans l'administration que lui ouvraient ses diplômes et ses capacités.

Ce qu'avait retenu Jean-Michel ? Que Abane travaillait à une Algérie-nouvelle, libre, indépendante, formée de toutes les communautés à égalité de droits, une Algérie où les Français occuperaient toute leur place, et cette Algérie-là, Leutier, fils de fonctionnaires plutôt ouverts à ces perspectives, ne la redoutait pas. Mais, s'était permis de questionner le jeune homme qui se sentait concerné au premier chef par ce genre de débat qu'il n'avait encore jamais eu, et qui, confusément, ne se jugeait pas tenu de plaider coupable plus qu'il ne convenait, mais, avait-il bien compris ? Était-ce là l'Algérie à laquelle songeait le détenu ? D'ailleurs, ne s'était-il pas engagé lors de leur première rencontre à lui expliquer pourquoi, exactement, il était en prison ? À quoi Abane avait acquiescé avant de se fendre d'un exposé rapide quoique assez détaillé de ce qui lui semblait avouable, afin, probablement, de ne point trop effaroucher le visiteur.

Il avait collé des affiches, distribué des tracts, fomenté des grèves au sein de son administration (il avait été embauché en 1945 en qualité de secrétaire de la commune mixte de Châteaudun-du-Rhumel), créé un réseau de partisans de l'Algérie nouvelle indépendante, ce qui lui avait valu nombre de déboires, puis il avait disparu de la circulation pour agir dans la clandestinité. Il était membre du PPA (Parti Populaire Algérien). Il avait été arrêté lors d'une rafle.

– Savez-vous où, monsieur Leutier ? s'était-il exclamé. Savez-vous où ? Je vous le donne en mille ! Eh bien, à Aïn-Témouchent, précisément, ma première arrestation en 1950 ! J'avais 30 ans ! Et vous 15 ans ! Vous étiez encore au collège ! En culottes courtes ! Et votre père, lui, officiait à la gendarmerie ! Si ça se trouve, c'est lui qui m'a mis la main dessus ! Déjà le destin nous faisait signe !… Mais, rassurez-vous, je n'ai pas été interrogé ni torturé à la gendarmerie d'Aïn-Témouchent, on m'a aussitôt expédié à Oran où j'ai été cuisiné par le commissaire principal, aussitôt rejoint par son collègue de Constantine puis celui d'Alger, qui, tous deux, avaient beaucoup à se plaindre de moi !

Abane, ici, s'était franchement esclaffé :

– J'avais, il est vrai, sévi sur leurs territoires, et, en février 1951, j'ai été jugé par le tribunal correctionnel de Bougie pour « atteinte à la sûreté de l'État » et condamné à 5 ans de prison et 10 ans d'interdiction de séjour, voilà, nous y sommes, et 10 ans de privation de droits civiques, et 500 000 francs d'amende ! À partir de là, monsieur Leutier, ma lutte se poursuivit en prison : incarcéré à Barberousse, la sinistre prison d'Alger, où je retrouve nombre de mes camarades de combat, et là, au lieu de me tenir tranquille, voici que j'organise des mutineries, que les détenus me choisissent comme porte-parole, que je fomente une grève générale de la faim, et c'est alors que l'on me transfère à la prison militaire de Babel-Oued afin de m'isoler de mes camarades, mais, là encore, je refuse de me tenir tranquille, et me voici renvoyé à Bougie puis, en désespoir de cause, en France, par des autorités écœurées, devenu indésirable et trop dangereux dans les prisons algériennes je me retrouve en janvier 1952 à la prison d'Ensisheim, en Alsace, où on ne badinait pas, je vous l'assure, et alors qu'est-ce que je fais, monsieur Leutier ? Eh bien, je refuse de m'alimenter dans un isolement total pendant 33 jours, et l'on me force à absorber du lait avec une sonde nasale, et je réussis, malgré tout, à faire parvenir une lettre au journal de mon parti, le PPA, un réquisitoire contre les conditions de détention des prisonniers algériens, lettre qui fit grand bruit, j'ai alors perdu 25 kgs, je suis tombé de 78 à 53 kgs, les autorités paniquent et m'expédient ici, à Albi, avec, enfin, un statut de prisonnier politique, la compréhension du directeur faisant le reste, et me voici, et vous voilà, monsieur Leutier, satisfait, je l'espère, de ce survol de ces dernières années militantes, maintenant, vous savez tout, ou presque, avait-il conclu malicieusement.

– Ce qu'il avait soigneusement omis, petit curé, c'est qu'il avait acheté des armes en quantité considérable avec l'argent de son parti et des subsides étrangers, qu'il les avait stockées en divers endroits stratégiques du pays… Ainsi me brossa-t-il le portrait d'un valeureux et hardi militant d'une noble cause, pourchassé et persécuté, en occultant la perspective d'une lutte armée qui, dans son esprit, ne faisait aucun doute et s'annonçait imminente… Malgré tout, ignorant tout de ce sanglant avenir, je fus, bien naturellement, impressionné : il était question de mon pays natal, et cet homme m'expulsait sans ménagement de mon cocon d'adolescent pied-noir élevé au sein d'une famille pleine de bonnes intentions, mais désormais, hélas, dépassée par la vitesse du cours de l'histoire, et qui, tout comme moi cette année-là, n'en avait aucune conscience… Je dois l'avouer, petit curé, je fus, ce jour-là, fasciné par ce personnage hors norme dont je pressentais que sa destinée ne s'arrêterait pas derrière ces murailles de la prison d'Albi... Cependant, je ne voyais pas mon sort sérieusement influencé par lui... Ce en quoi je me trompais très lourdement.

Leutier revit Abane Ramdane le dimanche des Rameaux 1953. Avant, il s'était passé un événement remarquable dans la vie du lycéen : la composition de philosophie du deuxième trimestre le plaçait en tête de classe. Il n'a pas été suffisamment question des capacités intellectuelles du jeune pied-noir, ce à quoi je vais remédier pour que la suite de cette histoire prenne tout son sens. Certes, j'ai déjà insisté sur le fait qu'il n'était pas un «ballot», qu'il aimait se cultiver, que l'étude des rudiments de la philosophie s'y prêtait, craignant qu'il n'apparaisse comme le jouet inconsistant du manipulateur de la prison d'Albi, d'autant que son âge et sa naïveté étaient de nature à renforcer cette impression. Mais, en vérité, il était plus que «pas ballot». Il conceptualisait avec aisance. Les bulletins scolaires de cette année-là, que j'ai pu consulter après sa disparition, grâce à la volonté des parents de laisser le maximum de traces de leur fils, un après-midi dans leur salon d'Aïn-Témouchent, en témoignent. Au point que son prof de philo et le proviseur écriraient l'un et l'autre, en substance, à la fin du troisième et dernier trimestre : Jean-Michel est davantage qu'un bon élève sérieux et appliqué, il s'est révélé tout simplement doué ; son souhait d'étudier le droit est intéressant et louable, la voie ainsi ouverte prometteuse, mais, selon nous, il a les moyens d'intégrer l'excellente hypokhâgne du lycée et de s'y distinguer, avec pour objectif l'agrégation de lettres, voire l'École normale supérieure ; Jean-Michel pourrait devenir un maître de haut niveau apprécié de générations d'élèves, comme il s'en trouve régulièrement dans les classes supérieures de nos grands lycées et de nos universités.

J'avoue avoir reçu un choc. Je ne l'avais pas perçu si haut faute de disposer moi-même des moyens intellectuels nécessaires pour en juger. Le séminaire m'avait beaucoup appris et dégrossi mais pas suffisamment. Je n'étais, comme il aimait affectueusement à le dire, qu'un petit curé, et je ne voyais en lui qu'un convalescent instruit. Au fond, je ne comprenais pas grand-chose à sa personnalité, elle me dépassait. Il eût fallu un autre interlocuteur que moi pour le mettre au jour et en faire le portrait, dépouillé de sa gangue, tel qu'il s'était développé et révélé à Toulouse, au lycée puis à la faculté de droit. Mais, à l'hôpital de Béni-Saf, d'un alter ego il n'avait nul besoin. Ce qu'il lui fallait dans ces derniers temps, c'était bel et bien un petit curé. Ces précisions ne sont pas inutiles pour évoquer les épisodes de sa guerre d'Algérie, et qu'ainsi justice soit rendue au cas où sa mémoire serait un jour maltraitée voire flétrie. Pour se rendre à Albi, Jouli et Leutier empruntaient un autobus le vendredi soir ou le samedi en fin de matinée si des cours importants figuraient au programme, et repartaient le dimanche soir par le train de 21 h 30, ce qui leur permettait de dîner en famille. Jean-Michel et Rolande avaient quartier libre le samedi et le dimanche matin. Jacques allait ailleurs afin de leur ménager la paix indispensable aux amoureux. Au demeurant, ceux-ci, de l'aveu même de Jean-Michel, restaient dans des limites tout à fait acceptables. L'ère des débondements en tout genre n'était pas encore venue, et la pilule n'existait pas. Et, l'après-midi, donc, visite aux prisonniers.

La troisième entrevue entre Abane et Leutier tourna autour d'un sujet inattendu : l'Irlande. Abane reçut le jeune homme tandis qu'il était plongé, assis sous un platane de la cour principale, dans un gros ouvrage traitant de la « libération irlandaise ». Voyant son visiteur planté devant lui, il l'apostropha, fidèle à son habitude, mi-railleur mi-avantageux :

– Ah, monsieur Leutier, merci de ne pas m'oublier, que savez-vous de la lutte de libération irlandaise ?

À la lumière du portrait intellectuel que j'ai pris soin

de dresser précédemment, on comprendra que cette manière de prendre de haut le visiteur sur le terrain culturel commençait à agacer sérieusement le jeune homme, car autant Leutier était plutôt cultivé pour son âge, et déjà au-dessus de la plupart des gens, autant l'autodidacte algérien, hors ses sujets de prédilection, restait encore quelque peu encroûté. Titulaire du baccalauréat, certes, mais il s'était arrêté pour s'immerger dans les activités politiques militantes, et le voici qui tentait, non sans mérite, de rattraper son retard en profitant de la prison pour se gorger de livres dont la lecture lui paraissait nécessaire et utile. Mais Leutier était très jeune, c'est vrai, et bien élevé. Aussi maîtrisa-t-il son irritation, non sans défendre son amour-propre par un trait assez vicieux et cruel en répliquant :

– J'en sais très peu sur l'Irlande hors ce qu'on m'en a appris au lycée, je suis tout disposé à en apprendre davantage par vous, et, d'ailleurs, chaque fois que je vous quitte, j'ai l'impression d'être plus solide, de gagner en assurance, mais j'ai une nouvelle qui pourra vous intéresser, ce trimestre je suis premier de ma classe de philo et je pense faire mon droit.

Abane avait paru déconcerté, pour la première fois presque déstabilisé, tout à coup conscient, peut-être, qu'il convenait de ne pas sous-estimer à l'excès ce jeune pied-noir de 15 ans son cadet et élevé dans un cocon en son pays occupé. Alors, il l'avait félicité, un peu crispé :

– Vous serez donc un jour prochain un avocat brillant et, qui sait, j'aurai peut-être besoin de vous, j'espère
que vous ne vous défilerez pas.

Jean-Michel s'était abstenu de commenter cette rail-
lerie qui, allez savoir, n'en était peut-être pas une. Il
s'était tiré de cette brève passe d'armes en le question-
nant sur l'Irlande :

– En quoi l'Irlande passionne-t-elle le militant algérien que vous êtes ?

Leutier prenait de l'assurance tout en gardant ses dis-
tances. Ce que ne manqua pas de remarquer Abane.

– Je constate que vous vous émancipez, ce dont je
me réjouis, vous vous exprimez presque déjà comme
un homme de métier, est-ce d'avoir réfléchi à ce que je
vous ai dit sur l'avenir de l'Algérie, en avez-vous d'ailleurs discuté avec vos condisciples ?

– Je n'en ai parlé à personne, ni à Toulouse ni à
ma famille, pas même à ma tante de Pinsaguel, tous
ignorent nos rencontres, j'ai effectivement réfléchi à cet
avenir, et je continue, il me concerne au premier chef,
je ne puis, en tant que pied-noir né là-bas, vous laisser seul le construire car je ne suis nullement disposé à
être un jour chassé de Béni-Saf et d'Aïn-Témouchent
ni d'ailleurs, ni moi ni ma famille, et je juge très important ce que vous m'avez exposé, d'ailleurs, je dois passer
les vacances de Pâques là-bas, et j'ai bien l'intention de
raconter tout ça à ma famille, je vous rendrai compte

de ses réactions au retour, voyez-vous un inconvénient à ce projet ?

– Aucun, au contraire, les autorités françaises d'Algérie, tant civiles que militaires, sont parfaitement au courant de mes idées, des activités qui m'ont envoyé en prison, ce qui est drôle et inattendu, c'est que votre père a peut-être, et même sûrement, le dossier de mon arrestation à Aïn-Témouchent il y a 3 ans, j'avais d'ailleurs été bien traité dans cette gendarmerie avant d'être refilé au commissaire principal d'Oran... Le problème des autorités coloniales, c'est qu'elles sont dépourvues de perspicacité politique, elles n'ont aucune idée de ce qui adviendra inéluctablement, à l'exception d'une poignée de personnalités isolées, pas plus d'ailleurs que la masse des Algériens arabes et kabyles, ils ont été tellement opprimés, réduits au silence, interdits de pensée, si longtemps, que la plupart ne croient plus à la légitimité de notre combat. Nous, les dirigeants de la révolution, nous devrons les mener à la dure, nous sommes la tête et la minorité agissante, l'avant-garde de fer, nous devrons mener une lutte sans merci contre les indécis, c'est pourquoi je vous le proclame tout net, oui, je me sens l'âme d'un chef tout comme de Gaulle isolé mais inébranlable en 1940. Je ne suis pas un mégalomane, et c'est précisément le fait qu'on me croie tel qui me protège... Justement, tenez, l'Irlande ne s'est-elle pas libérée ? Conquise par les Anglais vers 1540, elle se révolte un siècle plus tard et tombe sur Cromwell qui massacre tout le monde, les terres sont confisquées et distribuées aux colons anglais et écossais, ça ne vous rappelle rien ? En 1800, les Américains secouent la tutelle anglaise, si les Français ont renié leur révolution, les Irlandais se révoltent à nouveau, et, cette fois, après une répression sanguinaire, les Anglais inventent leur fameux « Acte d'Union » et annexent, définitivement croient-ils, la pauvre Irlande, ça ne vous rappelle rien non plus ? Les Irlandais, terrassés par l'oppression et la famine, quittent leur pays pour l'Amérique mais il en reste assez en Irlande pour réveiller la révolte, ils fondent le Sinn Fein en 1905, mot d'ordre : l'indépendance... Où est la différence entre le Parti Populaire Algérien et le Sinn Fein ? Vous en voyez une, monsieur Leutier ? En pleine guerre de 1914-1918, à Pâques, il y a 37 ans jour pour jour, Dublin s'insurge à nouveau, proclame la République, Londres l'écrase ou croit l'écraser, les patriotes irlandais repartent à l'assaut au prix de sacrifices indescriptibles et, en 1921, ils arrachent l'indépendance, un pays libre, quoique partagé en deux parties : 26 comtés pour l'Irlande républicaine, 6 pour l'Irlande anglaise, les deux-tiers de l'Irlande du Nord... En fait, il a fallu attendre 1949 pour que cette République soit enfin officiellement proclamée, comprenez-vous, maintenant, mon jeune ami, pourquoi je lis avec autant d'intérêt l'histoire de l'Irlande ?

Oui, Leutier avait compris. Et même trop bien, devait-il m'assurer plus tard, ce qui l'avait amené à poser à Abane une question troublante :

– Oui, je comprends, mais dois-je comprendre aussi que si, un jour, vous dirigez une Algérie indépendante, vous procéderez à une partition ? Les Européens d'un côté, les musulmans et les Kabyles de l'autre ? Et, si oui, où les mettrez-vous, ces Européens ?

Abane avait paru interdit par cette réflexion incisive, mâtinée d'une certaine agressivité, témoignant que, la surprise des deux premières rencontres passée, le jeune pied-noir avait pris la mesure du danger, à terme, du projet de révolution. Au point que, pris au dépourvu, il ne sut qu'énoncer évasivement :

– Nous n'en sommes pas là.

Heureusement, avait songé Jean-Michel, que nous n'en sommes pas là, et plaise au ciel que nous y soyons jamais, ce qui dépendra aussi de nous, les pieds-noirs, qui, un siècle et demi après la conquête, forts des travaux accomplis, avons désormais aussi conquis notre légitimité. Il se garda de balancer ce missile, soucieux d'éviter tout dérapage inutile que l'un et l'autre avaient su éviter jusqu'alors. Mais il considéra jusqu'à la fin que cet « impromptu irlandais », ainsi qu'il devait le qualifier après, lui avait ouvert les yeux plus grands que ne l'auraient fait de savantes et interminables spéculations.

– De ce jour, petit curé, j'ai senti que se livrerait

bientôt une bataille incertaine et sans merci... Le fait d'avoir compris cela très tôt a entraîné ultérieurement qu'une quelconque ignorance de ce qui adviendrait ne pouvait en aucun cas me fournir une circonstance atténuante pour me justifier, non, ma décision fut prise en un clin d'œil en connaissance de cause, je savais désormais à qui j'avais affaire, il me fallait sonder plus profond son ou ses mobiles.

Et donc, il partit en vacances. Il embarqua sur la *Ville de Tunis* en direction d'Oran, comme le nom du paquebot ne l'indiquait pas. Heureux de revoir sa famille, de se blottir un temps au bercail. Heureux mais infiniment tracassé par les sujets qu'il se proposait d'aborder.

Jusqu'alors, il n'avait cité qu'une fois le nom de
Zelemta. Et je m'étais gardé de saisir l'occasion d'en
demander plus à ce sujet. J'avais compris que c'était
là le nœud gordien qu'il avait dû trancher naguère et
j'avais sagement jugé qu'il fallait attendre qu'il fût disposé à s'y attarder et non lui forcer la main.

En évoquant ces vacances de Pâques et son arrivée au
port d'Oran, Jean-Michel maîtrisait mal son émotion. Sa
mère, joyeuse, l'ayant repéré sur le pont du paquebot,
postée sur le quai longtemps à l'avance, avait battu des
mains comme une enfant. Débarqué, elle l'avait étreint
un long moment avant de le conduire vers la 4CV familiale achetée d'occasion à un garagiste de Mascara car
l'adjudant-chef Leutier mettait un point d'honneur à
n'utiliser les véhicules de la gendarmerie que pour le
service. Cette petite voiture lui était très utile, lui permettant, notamment, de couvrir à sa guise les 30 kms
les séparant des Cervantès de Béni-Saf. À l'instar de la

plupart des mères retrouvant leur fils après une absence de quelques mois, Mme Leutier se comportait comme si elle ne l'avait pas vu depuis des années, et tout y passait : il avait l'air fatigué, il était pâle, amaigri, le congé pascal ne serait pas de trop pour qu'elle s'emploie à le remettre à neuf. Mais aussi, elle l'engloutissait sous ses éloges, au demeurant bien mérités, en raison de ses résultats trimestriels, se déclarait fière de lui, et ne doutait pas que tout cela augurait d'un avenir radieux, et que, d'avoir un fils comme lui, était une vraie bénédiction du ciel, quoique, n'ayant rien perdu de sa malice habituelle, elle précisait qu'elle n'était pas devenue bigote en son absence, qu'elle avait même accepté de modestes responsabilités au sein de la section SFIO locale où, deux fois par semaine, elle s'occupait de trier le courrier et d'y répondre. Une chouette maman pied-noir volubile et de gauche, franche du collier.

À Aïn-Témouchent, rien de nouveau, tout était calme, paisible, et son père l'attendait impatiemment, tout aussi fier de son fils qu'elle.

Quand il me rapporta cet accueil, Jean-Michel mit l'accent sur le point suivant : son père demeurait tout aussi évanescent dans le dispositif mental de sa mère qui, pourtant, lui vouait indiscutablement estime et affection. Ils s'étaient épousés par amour, cela ne souffrait aucun doute. Cela n'avait pas changé depuis le dernier Noël, mais, cette fois, soulevait chez lui des questions inédites, de même, d'ailleurs, que son rapport irénique sur Aïn-Témouchent. Tout était calme. Tout était paisible. L'idée que sa mère voyait la situation à travers le prisme de la naïveté, d'une certaine inconscience, et donc avec elle son père, sûrement, et les militants de sa section, et, au-delà, tous les Européens d'Algérie, s'infiltrait lentement dans son cerveau. Se révéla alors à lui l'influence d'Abane, la force du poison qu'il lui avait inoculé en levant le voile sur ses projets, ses objectifs politiques. Il les avait pris de plein fouet. Quelle importance accorder à ses études s'il était vrai que les pieds-noirs fussent voués à une expulsion massive ?

Tandis qu'ils approchaient de la ville, il tentait désespérément de refouler un violent accès de tristesse et de pessimisme, persuadé que le détenu d'Albi avait toutes les chances de parvenir à ses fins, de sorte que lui, Jean-Michel, se sentait vaincu avant l'heure. En quelques semaines, il avait changé de monde. Et lorsque, au débouché de l'avenue d'Oran sur la route nationale, ils longèrent l'hôpital où travaillait sa mère, il céda à une pulsion surprenante : au lieu d'obliquer en direction du château d'eau afin de gagner, juste au-delà, les bâtiments de la gendarmerie nationale, excentrés au nord-ouest, il pria sa mère de s'enfoncer dans la ville au motif qu'il éprouvait l'envie et le besoin de la respirer à pleins poumons après plusieurs mois d'exil. Elle obtempéra de tout cœur, convaincue aisément de l'évidence de cet élan alors qu'en vérité c'était là un effet de ses réflexions sur la perte assurée de sa ville natale si Abane gagnait. Jean-Michel se comportait comme s'il voyait Aïn-Témouchent pour la dernière fois.

Ils passèrent aux marges de la cité Moulay Said dite «le Douar», le bien nommé, puisque ce quartier regroupait environ les deux-tiers de la communauté musulmane, le reste se partageant entre la cité Moulay Abdelkader au sud, et, tout à côté, aux parages du cimetière chrétien, Diar el Makkaba, réputée abriter les Arabes les moins fréquentables de la ville. Le «Douar», juste séparé de la gendarmerie par l'avenue d'Oran, où Jean-Michel avait compté (comptait toujours?) quelques-uns de ses meilleurs copains d'école et de jeu avec lesquels lui et ses amis européens avaient composé, sans penser à mal, des équipes de foot, le «Douar» contre Château d'eau, qui s'étaient ardemment mais loyalement affrontées au stade municipal tout proche, en face de l'hôpital régional. Une situation qui était toujours apparue normale, petits Arabes contre petits Français de souche, ensemble à l'école maternelle puis à la communale, jamais les petits Arabes ne s'en étaient plaints, eux aussi jugeaient la composition de ces équipes dans l'ordre des choses, Jean-Michel n'avait jamais vu là une manifestation d'un quelconque ostracisme, moins encore de racisme, et voici que, pour la première fois, il se posait la question : pourquoi appeler le «Douar» cette cité Moulay Sidi Said ? Pourquoi n'avait-on pas baptisé leur équipe de foot les «Moulay» par exemple ? Les «Moulay» contre les «Château d'eau» ? Au demeurant, il n'avait jamais entendu ses copains arabes user eux-mêmes de cette appellation, le «Douar», ils se résignaient à s'entendre ainsi désigner, ce sont les «Blancs» qui, dès la création de la ville, avaient repoussé les indigènes vers les périphéries nord et sud, et des sortes de ghettos s'étaient ainsi formés, tout semblables à ceux des villes de métropole comme Barbès à Paris. À la différence que là-bas, à Aïn-Témouchent, ils étaient chez eux depuis des temps immémoriaux et pas nous. Voici qu'il se torturait à plaisir dans cette voiture et qu'il se disait : se peut-il que mes copains d'enfance, les Abdelbassir, Sofiane, Bilal, Chahine, et autres Gebril, qu'il appréciait tout particulièrement, avec qui il avait fait les quatre cents coups, lui fassent un jour la guerre ?

Et voici les places, les avenues, les rues, les jardins, qui avaient enchanté son enfance et son adolescence, et penser qu'il pourrait en être chassé lui fut insupportable. Au point que sa mère finit par s'inquiéter de ce sombre mutisme qui cadrait si peu avec le bonheur de remettre les pieds chez soi :

– Tu n'es pas bien ?

– J'ai un peu la nausée, ce n'est rien.

Ils enfilèrent l'avenue de la Première-Armée, puis ce furent la place de Lattre-de-Tassigny, la place Clauzel, le boulevard Marceau, la rue Victor-Hugo, la rue Baudin, la rue Carnot, le monument aux morts, aussi chargé que ceux de tous les villages de la douce France, la place Gambetta, le boulevard National, l'artère principale, la place de l'Hôtel-de-Ville.

– Marceau, Hugo, Gambetta, de Lattre, ce n'était pas la France, ça, petit curé ? La France des révolutions et des républiques, pas celle des rois... Et Baudin, le député mort sur les barricades de 1849 pour 25 francs... « Vous allez voir, messieurs, avait-il lancé aux ouvriers qui raillaient : nous ne voulons pas mourir pour vous conserver vos 25 francs ! » « Vous allez voir comment on meurt pour 25 francs ! », et il était tombé percé de balles... Nous avons ici la France glorieuse, petit curé, au cœur d'une petite ville d'Oranie peuplée de hâbleurs mais aux tripes patriotes, des braillards naïfs au grand cœur, eh bien, ici, je le sens gros comme une maison, une méchante et cruelle histoire est en marche, inexorable, j'entends son grondement, elle écrasera sous ses grosses semelles cette Algérie de France, j'en meurs plus que de mes blessures, mais c'est comme ça.

Si Abane avait été arrêté ici en 1950, c'est-à-dire trois ans plus tôt, c'est qu'il avait vadrouillé dans la région, créé des noyaux, formé des militants clandestins, peut-être aussi de futurs combattants prêts pour le jour J, avec pour conséquence désolante, tragique même, que, désormais, les Européens ne pourraient se fier à personne.

Ils remontèrent par l'avenue Jean-Jaurès jusqu'à l'avenue Marceau. À sa descente du véhicule, Jean-Michel s'était efforcé de présenter meilleure figure tout en pestant contre ce fichu mal de voiture. L'adjudant-chef Leutier les attendait dehors, souriant, sûr de lui, et, de sa personne, avait songé son fils, émanait plus que jamais la «force de la loi».

Jean-Michel avait révélé ses relations avec Abane le soir même de son arrivée. Après l'interrogatoire affectueux mais en règle sur ses prouesses lycéennes et des considérations générales sur l'organisation future de ses études de droit à Toulouse, en particulier son logement (studio dans la ville rose ou possible installation chez sa tante en une sorte de demi-pension, il fallait seulement une petite demi-heure en bus, cette dernière solution étant assurément la moins onéreuse pour eux, mais peut-être aussi trop astreignante pour un jeune homme de 19 puis 20 ans, terme des deux années nécessaires à l'obtention de la licence en droit), puis, après les taquineries inévitables sur « la belle d'Albi », Jean-Michel, quoique assez fatigué par le voyage, tint à se délester au plus tôt de ce qu'il commençait à ressentir comme un fardeau et leur expliqua brièvement les circonstances de sa rencontre avec le détenu algérien, lançant à son père en s'efforçant d'en rire :

– Il m'a dit que tu l'avais arrêté ici, à Aïn-Témouchent, il y a 3 ans, et que c'est toi qui l'avais envoyé en prison !
Le père Leutier s'attendait à tout sauf à ça.

– Qu'est-ce que cet Abane vient faire là-dedans, murmura-t-il entre ses dents et en regardant ailleurs, après quoi, passant une main dans ses cheveux et plissant le front, il poursuivit d'une voix étrangement égale : Abane, oui, Abane Ramdane, un dangereux pistolet, je l'ai arrêté, lui et quelques compères, au cimetière chrétien, à El Makkaba, sur renseignements, il bourrait le crâne d'une trentaine d'Arabes autour d'un feu, on avait procédé avec sang-froid, à la professionnelle, sans précipitation, on l'avait encerclé après s'être assuré qu'il n'y avait pas de chiens autour de ce bivouac, et avant de l'appréhender on l'avait écouté un moment discourir à voix basse mais audible, il leur faisait miroiter une Algérie indépendante mais aussi, avant, du sang, de la sueur et des larmes, comme si Churchill pouvait être un exemple pour ce type-là, il leur avait distribué des paquets de tracts avec écrit dessus : « s'armer, se préparer, s'entraîner »... Cet Abane Ramdane n'était pas de chez nous, c'était un Kabyle, il avait sévi à Sétif, un trublion, un agitateur, membre du Parti Populaire Algérien, mais un trublion dangereux, j'appris plus tard qu'il appartenait à l'OS, l'Organisation Spéciale du PPA clandestin, chargée des actions violentes, d'aménager des caches d'armes, de monter des attentats, nous ne

l'avions gardé que la nuit, les autorités aussitôt préve-
nues l'avaient exigé tout de suite pour l'interroger, elles
sont même venues le chercher à l'aube après nous avoir
recommandé de ne pas le lâcher d'un bail, ils ont été
embarqués dans deux fourgons, lui et tous les autres, on
m'a informé par la suite que c'était sans doute le chef
des terroristes d'Oranie, quoique kabyle, en fait il était
l'un des patrons d'un complot puisque, un peu partout, en avril, je crois, on découvrit dans le Constanti-
nois des dépôts d'armes, des plans, des opuscules sur les
méthodes de guérilla, et, en Algérois, des caisses d'armes
automatiques et des explosifs sophistiqués en quantité,
et c'est en mai qu'on a mis la main sur un certain Ben
Bella, celui-là même qui avait organisé un hold-up à la
poste d'Oran il y a 5 ans et qui s'est évadé ensuite de la
prison de Blida et qui se cache maintenant au Caire, on
avait reçu l'ordre de faire des rafles dans tous les coins,
c'est comme ça qu'on a ramassé des informateurs locaux,
l'un d'eux nous a indiqué cette réunion au cimetière
chrétien et on a arrêté Abane Ramdane, on n'a jamais
su, en tout cas ici à Aïn-Témouchent, s'il se trouvait chez
nous pour fuir Sétif ou si, au contraire, il était venu en
mission en Oranie, de cette arrestation, il ne me reste
que le souvenir d'un travail impeccablement exécuté par
notre gendarmerie, la trace administrative et un rapport
d'interrogatoire succinct, l'essentiel devant se dérouler à
Oran, mais je me souviens très bien du bonhomme, un

type trapu, très costaud, très intelligent, en djellaba marron, arrogant, plein de haine et de violence mal contenue... Voilà l'individu à qui tu rends visite le dimanche, franchement, je ne crois pas qu'il en vaille la peine, est-ce qu'il te parle de politique ?

Jean-Michel s'étant déclaré sincèrement fatigué, on convint d'en reparler le lendemain à tête reposée. Maman Leutier n'avait pas ouvert la bouche. Elle était restée songeuse. Elle réagissait toujours ainsi à chaque discussion, chez elle ou ailleurs. Elle écoutait intensément sans d'abord participer aux échanges, elle emmagasinait, elle triturait, elle classait, elle mâchait, puis elle se jetait énergiquement dans la bataille mettant d'accord les combattants.

Jean-Michel avait retrouvé sa chambre d'enfant et d'adolescent. Il s'était couché soulagé d'avoir informé ses parents de sa rencontre d'Albi mais, avant le sommeil, il s'était promis de tout faire pour ne pas exagérer l'importance de cet événement. De ne pas se laisser envahir, écraser par lui. Après tout, tomber dans cette prison sur un détenu politique algérien par le plus grand des hasards et non par l'effet d'une quelconque volonté militante ne l'engageait en rien (à Toulouse, Jean-Michel ne fréquentait pas l'extrême gauche lycéenne, pourtant bruyante et active, parfois envahissante, à défaut d'être représentative de la jeunesse étudiante), mais sous l'attraction d'une jolie fille qui, avant Abane, occupait ses pensées, pas de quoi en faire une histoire. Cependant, il avait compris que son père entendait reprendre cette conversation le lendemain. Il ne la redoutait pas. Abane lui avait-il parlé de politique? Eh bien oui. Il rendrait compte à l'adjudant-chef Leutier, cela ne tirait pas à grandes conséquences, et il le ferait en présence de sa mère, agent modérateur précieux chaque fois que son père et lui avaient eu à se dire des choses réputées délicates. Mais l'étaient-elles vraiment en l'occurrence? Quand on en aurait fini avec cet Abane, on n'en parlerait plus. Et, si ça se trouvait, il n'irait plus le voir dans sa prison. De toute façon, Rolande s'en fichait bien, à vrai dire, ce n'était pas une graine d'intellectuelle, moins encore de militante politique, et Jean-Michel avait noté à quelques signes qu'elle commençait peut-être à se lasser de le voir gaspiller chaque dimanche du temps avec ce bonhomme dont elle n'avait que faire, tout autant d'ailleurs que cette Algérie pour elle étrangère.

Après quoi viendrait la deuxième partie du bac au terme d'un troisième trimestre qu'on ne verrait pas même passer, puis les vacances d'été à Aïn-Témouchent et sur les plages de Béni-Saf à contempler les chalutiers, se dorer la pilule, se goinfrer des incomparables beignets de son camarade le doux Abdelbassir qui, au moindre coup de soleil, gagnait là son argent de poche, avant la rentrée en faculté de droit, ouvrant une étape féconde de son existence, consacrant son statut d'homme et d'étudiant. Ne convenait-il pas de se réjouir de cet avenir enviable à tous égards, notamment par celles et ceux de ses camarades d'Aïn-Témouchent qui, eux, ne parviendraient jamais à se dégager des entraves sociales qui les paralysaient depuis l'enfance ?

Il s'endormit apaisé ce soir-là, et même, se souvenait-il, heureux. Les plages de Béni-Saf n'étaient-elles pas les plus belles du monde ?

En attendant, c'était aussi les vacances de Pâques à Aïn-Témouchent. Et donc, Jean-Michel avait obtenu de ses parents, au demeurant occupés par leurs activités professionnelles, de reporter la conversation sur Abane Ramdane le soir tranquillement. Dès le matin, il reprit ses marques, impatient de retrouver ses copains et ses habitudes. Et d'abord, au lieu de prendre son petit déjeuner chez lui, il se rendit chez Sauveur pour un café et les croissants sortis tout chauds du four du boulanger Otaro dont la renommée dépassait les limites de la ville, en particulier pour son pain, ses brioches sucrées, ses babas. On accourait de Béni-Saf, et, le dimanche, même des environs de Sidi Bel Abbès, pour y acheter les desserts. Et là, précisément, il tomba sur Germain, le fils Otaro, habitué de chez Sauveur, très populaire auprès de ses copains grâce à tous les gâteaux qu'il soustrayait à la production de son père, lequel feignait de n'y voir goutte, et qu'il distribuait aux uns et aux autres. Il avait obtenu son certificat d'études et se destinait à la succession de son père, réussissant, disait-on, excellemment son apprentissage, assidu au magasin et au pétrin.

Il était là, Germain, avec sa bonne bouille joufflue de petit pâtissier, et il ouvrait les bras à Jean-Michel : «Voilà notre grosse tête!» s'était-il écrié.

C'est que Jean-Michel passait, non sans quelque raison il est vrai, pour le cador de sa génération. Tout le monde savait qu'il se débrouillait très bien dans ce grand lycée de Toulouse où il avait obtenu haut la main la première partie du baccalauréat car la maman Cervantès ne lésinait pas sur la propagation des bonnes nouvelles, qu'il était au bord de franchir comme une lettre à la poste le cap de la deuxième partie, après quoi, bientôt, Aïn-Témouchent aurait son avocat de première bourre. Survinrent Sidal, le fils du coiffeur, Pujol, le fils du magasin d'habillement, l'un et l'autre sis tout à côté, boulevard National, et tous deux se réjouirent bruyamment de revoir leur ami Leutier. Jean-Michel avait toujours suscité la sympathie de ses copains aussi bien arabes qu'européens, par son aptitude à les aider en tous domaines chaque fois qu'il le pouvait, avec simplicité et efficacité, en leur proposant des idées de fêtes ou en les aidant à faire leurs devoirs, bref, il avait su être le premier de sa classe et filer à Toulouse «sans faire le malin», et les jaloux étaient rares.

Chez Sauveur, ils passèrent un bon moment, échafaudant des plans de distractions diverses pour honorer dignement les vacances, tous, à l'exception du fils Otaro retenu partiellement à la boulangerie, étant, à l'instar de Jean-Michel, libres comme l'air. Sidal, inscrit durant l'année à l'École hôtelière d'Oran, Pujol, le deuxième des trois «intellectuels» de la bande, préparant, lui aussi à Oran, l'École normale d'instituteurs, avec Lahoual. Car il y avait Lahoual, le troisième bon élève. On ne le voyait jamais chez Sauveur, il ne sortait guère, en dehors des heures d'école, des mechtas du domaine de Dupuy-Carrérat, à Laferrière, à environ 6 kms d'Aïn-Témouchent, où les Lahoual, de père en fils, étaient ouvriers agricoles. Lahoual était en bonne voie pour devenir le premier instituteur arabe d'Aïn-Témouchent. Austère, secret, voire impénétrable. Dès la fin des matchs de foot, dès la sortie de l'école, Lahoual montait sur sa bicyclette (son seul luxe) et disparaissait à Laferrière. Avec Jean-Michel, ils avaient le même âge, étaient entrés en même temps à l'école maternelle. Jean-Michel se souvenait qu'alors il était allègre et expansif, et, avec lui, le meilleur élève de la classe. Il l'avait même surpassé à plusieurs reprises, plus tard, à l'école complémentaire. Cette excellence les avait rapprochés. Il en va souvent ainsi des têtes de classe qui, tout en rivalisant âprement, se constituaient en un clan à part.

Ah, Lahoual, Jean-Michel en avait les larmes aux yeux quand il m'en parla pour la première fois. Sous la férule impitoyable de leur maître d'école, originaire de haute Ariège, qui menait son monde à la baguette, tous les élèves atteignaient plus ou moins le niveau requis à la fin de l'année. Il appliquait à Aïn-Témouchent les méthodes qui avaient fait leurs preuves en ses montagnes natales : faire entrer coûte que coûte dans les cervelles rétives des petits paysans les « fondamentaux » du programme du certificat d'études. Il terrorisa ses élèves, mais les sauva de leur condition d'esclaves accrochés à leurs terres abruptes et ingrates, régime de fer qui leur permit plus tard de réussir les concours de base des administrations : PTT, SNCF, armée, garde républicaine, etc. Selon Jean-Michel, c'était la vanité qui lui avait fait accepter ce poste en Algérie. À 3 ans de la retraite, alléché par les primes, la perspective de mater les petits Arabes comme il l'avait fait pour ses petits paysans le motivait sérieusement. Il y parvint à peu près. Sauf qu'on ne lui en fut guère reconnaissant, au contraire de ses montagnes d'Ariège où sa réputation d'avoir avec la manière forte répandu des bienfaits autour de lui et des hameaux, transformé des ânes en chevaux de trait, longtemps survécut.

Chez Sauveur, les trois compères se séparèrent en se promettant de se rendre au grand bal de Pâques au jardin public et Sidal se proposa d'organiser un match de foot contre le « Douar », ce qui fut accepté dans l'enthousiasme. Ils n'avaient pas 20 ans, leurs parties de foot acharnées étaient encore tout proches, pourquoi ne pas profiter des congés pour renouer avec les bonnes habitudes ? Ayant ainsi décidé, chacun repartit à ses occupations. Germain Otaro, Sidal et Pujol déclarèrent avoir à faire chez eux. Jean-Michel, lui, n'avait aucune servitude. Alors, il poursuivit à pied ses retrouvailles et c'était plus agréable qu'en voiture. Sortant de chez Sauveur, il admira la cathédrale à deux flèches qui faisait l'orgueil de la ville. Puis il descendit nonchalamment le boulevard National.

Tout à coup, il se sentit derechef assiégé, ce qu'il appela par la suite le «syndrome d'Abane», lequel altéra son environnement jusqu'alors sympathique et harmonieux. Fut-ce la rencontre avec une équipe d'ouvriers arabes s'échinant à la réfection du garage du *Grand Hôtel de Londres* qui provoqua le retour brutal de cette sensation amère, vraiment traumatisante, de ne pas être chez soi, pire, de ne plus l'être pour très longtemps ? Il lui avait semblé en reconnaître deux, il les avait salués avec affabilité, presque connivence (c'est moi, le jeune Leutier, me voici de retour au pays, le vôtre et le mien, pour les vacances), et ils lui avaient à peine répondu d'un signe de tête quasi imperceptible, du moins en avait-il ainsi jugé, une réaction qui lui était apparue anormale, injustifiée. Étaient-ils déjà secrètement enrôlés dans les troupes du PPA ? Seraient-ils un jour des soldats de choc, des fanatiques d'Abane ?

Des artisans impitoyables de sa révolution? Ou alors, voyait-il désormais des ennemis partout? Était-ce cela le «syndrome d'Abane»? Était-il devenu malade ou clairvoyant avant l'heure? Ah, voilà, c'était bien là la question : malade ou clairvoyant?

La question trottait encore dans sa tête quand il rentra chez lui pour déjeuner. Ses parents étaient là. Et aussi la fidèle et presque muette Amina qui les servait à table avec dextérité, au demeurant excellente cuisinière, mais qui, en dépit de ses efforts, n'était pas parvenue malgré des années de service à comprendre plus d'une cinquantaine de mots français, ce qui avait toujours surpris les Leutier car, par ailleurs, elle donnait moult signes d'intelligence, tout au moins de vivacité d'esprit. Ce qui avait conduit ses maîtres à apprendre l'arabe parlé et à s'en féliciter tous les jours dans leurs activités professionnelles, à l'hôpital ou lors des enquêtes diverses. Le père Leutier cédait parfois à la coquetterie en s'adressant dans leur langue aux Arabes d'Aïn-Témouchent et des environs, ce qui, en général, et autant qu'on le pouvait savoir, était porté à son crédit par la population.

Le déjeuner avait été rapide et l'on avait évité d'aborder le sujet d'Abane Ramdane, réservé, comme convenu, pour la soirée. Mais justement, ce silence tacite pourrissait la situation. De sa prison, le détenu révolutionnaire qui rêvait, qui ambitionnait, qui manifestait ouvertement l'absolue et farouche certitude d'expulser, un de ces jours d'Algérie tous les Leutier, Cervantès et autres Sidal ou Otaro (va donc faire ton bon pain ailleurs, chez toi, là-bas, du côté de Port-Vendres ou de Perpignan ou de Montauban ou Auch!) et tous les infirmiers, et toutes les infirmières, et tous les gendarmes d'Aïn-Témouchent et d'ailleurs, de sa prison le détenu parvenait à empoisonner l'atmosphère familiale d'ordinaire si unie et paisible, d'autant que le père, par son air sombrement entendu, laissait accroire qu'il soupçonnait une anomalie, un malaise quasiment honteux, chez son fils qui, pourtant, n'avait que des raisons de se réjouir de son sort. Jean-Michel, sans conviction, fit un rapport de sa matinée, de ses retrouvailles, de l'organisation d'un match de foot tout comme naguère, puis le père et la mère repartirent au travail. Restés seuls, Jean-Michel et Amina se regardèrent, et le jeune homme s'enquit en français de sa famille : tout le monde allait-il bien chez elle? «Oui, oui, tous très bien», lui avait-elle répondu.

Peut-être plus que ses parents, Jean-Michel avait toujours estimé cette Algérienne à la fois vive et éveillée qui savait prendre des initiatives toujours pertinentes, et son incapacité à comprendre le français lui posait problème alors même qu'il avait tenté souvent de le lui apprendre patiemment.

Elle se dirigea vers le petit bureau domiciliaire de l'adjudant-chef aménagé dans un coin de l'appartement de fonction, et Jean-Michel la suivit des yeux, rêveur.

L'après-midi, il retrouva ses copains et ils se rendirent au cinéma *le Spendide* et ensuite ils eurent l'idée d'aller discuter de choses et d'autres au bord de l'oued Senane. Il y avait là Ramirez, Sidal, Dilano, Pierre-Henri Savignol, l'enfant tardif de l'instituteur, qui souffrait beaucoup, plus que ses condisciples, de la brutalité de son père, et qui, malgré sa position, peut-être à cause d'elle, ne parvenait pas à se hisser en tête de classe. Pauvre Pierre-Henri ! Heureusement que ses camarades, magnanimes et compréhensifs, ne lui en tenaient pas rigueur, ce qui prouvait leurs qualités humaines ; soit dit en passant, eût-ce été le cas dans toutes les écoles métropolitaines ?

– Vous voyez, petit curé, les écoliers d'Algérie, toutes communautés confondues, n'étaient pas des barbares, ni dépourvus de délicatesse, avait marmonné le lieutenant sous le coup d'un accès d'amertume, du pauvre Pierre-Henri, je me souviens avec tristesse et compassion.

Et cette remembrance des uns et des autres, les Savignol, Lahouel, Amina et compagnie, le renvoyait inlassablement à cette question à laquelle il devenait superflu de répondre puisque, selon lui, elle était désormais sans objet : malade ou clairvoyant ? Les deux peut-être ? Lycéen tendre et vulnérable démoli par la perversion politique d'Abane ou, au contraire, redevable au révolutionnaire d'une clairvoyance précoce ?

– Songez, petit curé, que nous étions au printemps

1953 et que, 18 mois plus tard, le 1ᵉʳ novembre 1954, Abane d'ailleurs toujours en prison pour 4 ou 5 mois encore, sa fameuse et sanglante «révolution» éclaterait déclenchée par d'autres que lui en attendant qu'il lui mette la main dessus, avec son cortège de destructions et d'assassinats tandis que moi, Leutier, je serais en première année de licence à la faculté de droit de Toulouse! 18 mois, petit curé! Est-ce qu'il aurait fallu partir alors, boucler ses valises en bon ordre, prévenus que nous étions, grâce aux bons offices du prisonnier, qu'à la fin nous perdrions la partie, s'épargnant ainsi la précipitation et la panique des ultimes semaines de l'Algérie française? C'était sans compter que la clairvoyance, l'intuition, et même la connaissance du futur, comme toutes facultés humaines, ne suffisent pas à s'éviter les dangers des lendemains sans issue... Les hommes ne se résignent pas à battre en retraite à temps, à éteindre prématurément les maigres lueurs de l'espérance, ils raillent les miracles mais les attendent toujours.

Au bord de l'oued Sanane, Sidal leur avait apporté une bonne nouvelle : le «Douar» était d'accord pour constituer une équipe et bien décidé à «dérouiller» Château d'eau, même avec les renforts de Saint-Jules, un quartier du centre. Ils finirent l'après-midi au *Cercle*, le bar chic sis, non sans quelque outrecuidance, près de la cathédrale à deux flèches et au presbytère collé à elle où je devais habiter le temps de mon séjour là-bas.

Ainsi se déroula sa première journée de retour, plutôt agréable hormis les bouffées d'angoisse qui l'avaient envahi. Il faut dire que tout le monde autour de lui aurait été stupéfié si le fils de l'adjudant de gendarmerie leur avait livré ses craintes.

Mais le soir, à la maison, il fallut parler d'Abane. Le père Leutier avait repris ses dossiers. Abane, il s'en souvenait, à cause de son arrogance et de son bagout. Il n'était nullement remué par son arrestation. Selon l'adjudant-chef, il en paraissait même fier, la considérant comme un fait d'armes, un capital, auprès de la communauté musulmane. Par contre il avançait prudemment ses idées : enseignement officiel de l'arabe littéraire, réformes politiques et sociales, la plus «subversive» d'entre elles portant sur une équitable attribution de terres aux indigènes, ce qui, avait commenté le père Leutier en un sous-entendu acide et édifiant, ne pourrait gêner que les Européens qui en possédaient. Abane avait précisé que rien ne pressait en la matière. Alors, lui avait demandé Leutier, à quoi servaient les caches d'armes du côté de Sétif et de Constantine ou d'Alger, notamment autour de Cherchell, à la barbe des élèves officiers de l'école, les EOR ? C'était au cas où les propositions ci-dessus indiquées seraient refusées par la puissance coloniale, et, au demeurant, lui, Abane, n'était pas responsable de ces caches ni l'auteur des tracts incendiaires appelant à la lutte armée, il n'était, lui, qu'un militant ardent et convaincu de l'aile réformiste du PPA, un militant assez modeste, voilà tout… C'est une position qu'il devait défendre lors de ses interrogatoires d'Oran, d'Alger et de Constantine.

Écoutant son père, Jean-Michel ne pouvait que constater combien était grande la distance entre ces propos lors de l'arrestation de 1950 et ceux qu'il avait entendus à Albi 3 ans plus tard. Abane avait-il changé entre-temps ? S'était-il radicalisé ? Était-il passé, sous l'effet répulsif des contraintes et des humiliations de ses incarcérations successives, de la réforme à la révolution ? Ou avait-il seulement mis de l'eau dans son vin à Oran ? Afin de ne pas aggraver son cas, de berner les autorités ?

Jean-Michel se décida à édifier son père là-dessus, au cas où lesdites autorités sous-estimeraient le danger représenté par le bonhomme.

Dans sa prison d'Albi, Abane dessinait les contours d'une Algérie non plus française mais bel et bien indépendante, certes où les Européens tiendraient leur place mais seulement leur place, et il leur serait nécessaire de largement se pousser afin d'en ménager aux autres, aux Arabes, aux Berbères, de revoir sérieusement à la baisse leurs immenses propriétés, une remise à niveau économique et politique draconienne inévitable.

– Il sera libéré, vers le printemps prochain, je crois, avait ajouté le père Leutier, il en aura fini avec sa peine.

La réaction du père avait surpris son fils :

– S'il a pu nous abuser il y a 3 ans, il ne trompe aujourd'hui personne, lui et ses sbires veulent flanquer les Français dehors, nous connaissons maintenant très bien leurs objectifs et leurs moyens pour y parvenir, nous ne sommes pas si bêtes, nous possédons et nous avons étudié à la loupe des paquets de documents, tracts, instructions et proclamations, nous avons des services pointus qui ont déchiffré tout ça, neutralisé des caches d'armes en grand nombre, nous avons des espions dans tous les coins, dans leurs partis, leurs katibas, et, d'ailleurs, s'ils ont été raflés à Oran et Constantine, c'est grâce à l'un des leurs, un membre de leur Organisation Spéciale, leur fameuse OS, un type qui en a marre et qui a vendu la mèche, c'est pourquoi Abane et ses complices prennent leurs désirs pour des réalités, la terreur et l'intimidation ne suffiront pas à retourner les populations, surtout si on s'occupe d'elles pour améliorer leurs statuts et leur sort, au mieux, lui, il finira comme Abd el-Kader en 1847 qui rendit ses armes à Bugeaud, et je n'ai pas eu du tout l'impression d'avoir eu un Abd el-Kader devant moi. Il est plutôt du genre exalté, déconnecté des réalités, tant qu'on aura des cinglés de son espèce devant nous on n'a pas de sérieux soucis à se faire, l'Algérie n'est pas un territoire ordinaire et ce n'est pas l'Indochine, c'est la France, un département français où nous sommes habitués à ces révoltes que nous avons toujours matées... Comment des bandes de trublions sans foi ni loi s'y prendraient-ils pour nous bouter hors de cette terre alors que nous y disposons de tous les pouvoirs ? Comment mobiliseraient-ils une population au naturel pacifique et à laquelle, malgré la permanence de certaines injustices, nous apportons tant de bienfaits ? Si nous prenons les mesures qui s'imposent, les réformes politiques et sociales en matière de justice et d'égalité, Abane s'imagine-t-il que ses groupuscules de terroristes plus ou moins communistes l'emporteront face aux forces d'une des premières puissances mondiales, quand Paris est à 3 heures d'avion d'Alger ? Il est possible que nous ayons bientôt affaire à une nouvelle explosion de désordres, ces gens-là s'y emploient, nous le savons mais ils séviront quelque temps, une moitié d'entre eux ira vite en prison et s'il y a crimes de sang, leurs auteurs seront punis de mort, les autres disparaîtront dans la nature, ça s'est toujours passé comme ça depuis la conquête, voilà ce que je pense, mon fils, et, à mon avis, tu devrais, désormais, te dispenser de perdre ton temps et de te retourner les sangs à cause de ce bonhomme, au fond, c'est très instructif pour toi que tu l'aies vu et entendu deux ou trois fois mais, maintenant, ce n'est plus guère utile, occupe-toi plutôt de ta belle Rolande sinon elle ira voir ailleurs.

Ainsi parla l'adjudant-chef Leutier, ma foi, d'assez belle humeur. Il connaissait la situation à fond, ses dossiers de maintien de l'ordre public sur le bout des doigts, et abandonner comme ça les beautés de ces départements, que les Français avaient en plus d'un siècle fécondés, enrichis, civilisés, modernisés et où leurs églises et leurs cimetières faisaient partie intégrante du paysage, lui paraissait, pour tout dire, même à lui, le Breton «importé», une idée farfelue. Mais avait-il sondé les reins et les cœurs des Arabes et autres Kabyles? Jean-Michel ne pouvait repousser totalement cette incertitude nichée au tréfonds de lui depuis quelque temps. Son père s'imaginait-il que si conflit il y avait, il se déroulerait selon les règles enseignées à l'École de guerre? Jean-Michel devait-il insister là-dessus ou briser là afin de ne pas tourmenter son père outre-mesure? Il brisa là. Et sa mère, peu habituée à se taire dans les conversations de famille et pourtant demeurée curieusement silencieuse? N'était-elle pas une «pied-noir de souche», au contraire de son mari, et, à ce titre concernée au premier chef par cette question? Son fils faillit s'enquérir des raisons de ce silence si peu compréhensible mais il y renonça afin de ne pas alourdir l'atmosphère.

Et puis, l'heure était venue pour les parents de se coucher au terme d'une journée chargée tant pour l'un que pour l'autre. Jean-Michel se dit ce soir-là que revoir Abane en sa prison, en effet, ne s'imposait pas.

Le lendemain, il eut une mauvaise surprise. Sidal avait apporté un contrordre : le match de foot était annulé en raison de l'indisponibilité malencontreuse de trop de joueurs du « Douar ». C'est Lahoual qui avait donné l'information, précisant que les autres pourraient toujours jouer entre eux en attendant. Les copains de Jean-Michel s'attachèrent alors à former deux équipes en mobilisant la jeunesse du centre de la ville, se bornant à regretter ce contretemps. Mais il en fut très différemment de Jean Michel lui-même. Le « syndrome d'Abane » le frappa derechef. Avec une virulence vraiment pénible. Pourquoi le « Douar » annulait-il un match ? Que valait cette excuse d'« indisponibilité » invoquée par ses copains arabes ? Qu'est-ce qui les occupait si fort ? N'était-ce point là une manifestation spectaculaire d'un changement d'attitude brutal des arabes du « douar » ? Avaient-ils reçu des consignes qu'eux-mêmes n'attendaient pas puisque, dans un premier temps, ils avaient donné leur accord ? Fallait-il voir là le résultat du travail de propagande et de sape d'Abane Ramdane lors de ses plongées en Oranie ? Jean-Michel s'effara de constater qu'autour de lui ces hypothèses ne venaient à l'esprit de personne, une inconscience qui ne manquait pas de raviver chez lui la question qui semblait s'être logée à demeure en lui : paranoïaque, ou clairvoyant, interprétant judicieusement les signes avant-coureurs d'une catastrophe inéluctable pour les Français d'Algérie, cela grâce à quelques leçons accélérées à lui administrées par le prisonnier d'Albi ?

Évidemment, il garda par-devers lui ses appréhensions : tester ses camarades là-dessus, c'était inévitablement semer la stupeur puis le doute, chez eux et leurs familles auxquelles ils feraient rapport, un doute dont il n'était finalement pas sûr qu'il fût totalement fondé, introduisant le ver dans le fruit, empoisonnant des relations jusqu'alors, en tout cas pour les pieds-noirs joyeux et insouciants, plutôt harmonieuses, même si chacun campait chez soi, de son côté, derrière les murs de sa communauté. Pas d'osmose mais pas de haine non plus, une convivialité de façade mais suffisante pour cohabiter.

Cependant, Jean-Michel décida d'en avoir le cœur net, tout au moins d'essayer. Il enfourcha son vélo et pédala énergiquement en direction de Laferrière où habitait Lahoual. De toute façon, aller discuter avec « l'intellectuel arabe » d'Aïn-Témouchent par les temps qui couraient ne paraissait pas compromettant, le motivait, pouvait se révéler instructif. Il guetterait certains mots, certaines réactions, peut-être qu'avec lui, ayant le même âge, partageant une capacité à raisonner, analyser, il progresserait, obtiendrait un début de réponse, même vague, à la question qui l'empêchait d'être heureux comme il aurait mérité de l'être. Mais il faut avouer que parcourir ainsi des milliers d'hectares de vignes et de terres agricoles où se nichaient de magnifiques demeures de maîtres colons, situées à bonne distance des pâtés de mechtas abritant les ouvriers, les hommes et les femmes de peine ahanant sous leurs burnous, ne constituait pas un exercice favorable à l'apaisement du jeune Leutier. Pourtant, il avait couvert maintes et maintes fois cet itinéraire et exploré les entours gras et verdoyants d'Aïn-Témouchent, produits d'une colonisation féconde, sans jamais sérieusement s'interroger sur ces domaines impressionnants, orgueils de l'Algérie française (rien qu'aux environs d'Aïn-Témouchent, 7 000 hectares pour la propriété viticole de Ruy-Valier, Rio Salado, 3 000 hectares pour les terres de Laferrière), et voici que, tout à coup, le « syndrome d'Abane » le prenait à la gorge, alimenté par ce spectacle problématique : ce sont de ces richesses que le détenu d'Albi parlait quand il envisageait de s'en emparer et de les redistribuer aux fellahs regroupés en coopératives, aux Ruy-Valier, aux Dupuy-Carrérat, à leurs lignées et à leurs pairs, le temps était venu de leur reprendre par la force ce qu'ils avaient volé par la force au peuple algérien en profitant de sa faiblesse. Abane avançait que les Arabes, les Kabyles ou les Touaregs sauraient bien s'occuper des vignes, des oignons, des agrumes et des moutons aussi efficacement que les Européens, d'ailleurs, n'étaient-ils pas déjà à l'œuvre sous la férule de leurs maîtres, ne faisaient-ils pas le boulot depuis le commencement? Le riche bachaga Daghili, dont Jean-Michel longea une partie de la propriété avant d'atteindre Laferrière, ne produisait-il pas lui-même l'une des plus grosses récoltes d'oignons de toute l'Algérie? Il y avait donc des Arabes riches, bien sûr, logeant dans des habitations raffinées conformes au goût et aux traditions orientaux mais ces exceptions ne changeaient rien à l'exploitation du peuple. Pour autant, se considéraient-ils sur le même pied que les Européens? Tout bachagas qu'ils étaient ou notables en vue, ils n'en passaient pas sincèrement pour de vrais Français aux yeux des autorités et des seigneurs de l'économie algérienne : banquiers, industriels, brasseurs, importateurs, exportateurs, armateurs, etc. Certes, ces Arabes parvenus soignaient les apparences mais, au fond d'eux-mêmes, la plupart d'entre eux ne pactisaient-ils pas en secret avec les noyaux révolutionnaires, ne versaient-ils pas leur écot, assurés qu'ils étaient que le jour de la libération on aurait besoin d'eux et donc que leurs principaux avoirs ne seraient pas confisqués, peut-être même qu'en conséquence ils attendaient Abane Ramdane avec impatience.

Moulu par ces spéculations mauvaises, Jean-Michel dut s'arrêter. Il coucha son vélo, prit la tête entre ses mains et tenta de se calmer. À 18 ans, un avenir plus qu'enviable en perspective, quel gâchis de sombrer ainsi dans le pessimisme le plus noir au bord d'une route cernée de terres prospères s'étendant à perte de vue, tout ça à cause d'un olibrius interné en métropole et rencontré trois fois ! C'était rageant. Mais cela ne pouvait s'expliquer que par une raison puissante : Abane avait semé son ivraie sur un terrain éminemment fertile car Jean-Michel, plus ou moins consciemment, et dès son enfance, s'était souvent surpris, en toute ingénuité, de vivre dans un pays et une société où, par bien des côtés, il se sentait singulier, voire, à certains égards, disons le mot, étranger, et où les racines d'une immigration d'Europe d'à peu près un siècle ne s'enfonçaient pas si profond, quoi qu'on en dît ou pensât autour de lui, que celles des autochtones indigènes. Au contraire de ses camarades européens, il avait, à plusieurs reprises, senti le simoun venu du Sahara lui râper l'échine et lui souffler : « Crois-tu vraiment que tu es ici chez toi ? » Voilà pourquoi il était apparu en proie idéale à un Abane Ramdane qui avait promptement décelé cette vulnérabilité. En vérité, c'est un hasard très funeste qui les avait mis en présence, à moins, à l'inverse, qu'il ne se révèle un de ces jours salutaire pour cause de déniaisement politique précoce.

Maintenant, il lui fallait voir Lahoual. Et non lui tourner lâchement le dos et repartir à Aïn-Témouchent la queue entre les jambes. Jean-Michel savait où il habitait. Il était déjà venu mettre au point des matchs et des programmes avec lui. Il logeait à environ 300 m de la route dans une maisonnette bâtie à l'européenne mais dont son père n'était pas propriétaire, le grand-père Dupuy-Carrérat l'avait mise à la disposition du grand-père Lahoual, son fidèle et vaillant serviteur. Oui, on pouvait le tourner et le retourner à sa guise, il y avait bien les maîtres et les autres, et leurs conditions, leurs droits respectifs procédaient de planètes différentes. Jean-Michel se dit que de profondes réformes devraient être entreprises, opinion dont sa famille l'avait nourri. Et il marcha vers la maisonnette des Lahoual son vélo à la main.

– Je me revois au bord de cette route, petit curé, abattu par la mélancolie, par cette sensation que nous n'étions pas du côté de la justice même si, en de nombreux domaines, nous n'avions pas démérité ni à rougir de ce que nous avions fait, et de cette sensation je ne parvenais pas à me libérer.

Lahoual n'était pas chez lui. Jean-Michel tomba sur sa mère et sa grand-mère. Où était-il ? – Aux mechtas… «Que lui voulez-vous ?» s'était inquiétée la grand-mère sur un ton non dénué de l'agressivité de celle qui est sur ses gardes, et qui n'avait pas manqué de surprendre Jean-Michel. Il était souvent venu là et on l'avait reçu avec sympathie du plus loin qu'il s'en souvenait. Et comme il était fort prédisposé à débusquer des sous-entendus dans tous les coins, cet accueil le crispa. Il s'efforça de le masquer et dit :

– C'est pour le prochain match de foot, et aussi pour lui dire bonjour et savoir comment ça va à son école d'Oran.

– Oh, il travaille bien, il sera instituteur, dit la mère, plus amène que la grand-mère.

Jean-Michel avait hésité. Il n'avait pas envisagé de se rendre aux «mechtas» pour discuter avec Lahoual. Les «mechtas», c'était un lieudit désignant un groupe de maisons en briques séchées édifiées par les premiers Dupuy-Carrérat au centre de leur domaine agricole pour y loger les ouvriers arabes et leurs familles. Le grand-père de Lahoual, lui, avait pris du galon, dirigeant les hommes et les femmes au travail, jouant le rôle d'une sorte d'intendant et de gardien tout à la fois, ce qu'il ne fut jamais en titre, et, en conséquence, il avait bénéficié d'une maison construite à l'européenne à l'entrée du domaine. Déranger Lahoual aux mechtas de Laferrière, il ne se voyait pas s'y rendre. Aussi se vit-il quasiment obligé de reprendre son vélo et de s'engager sur le chemin du petit douar. Quand il y parvint, il distingua un groupuscule assis à même le sol sur le seuil de l'une de ces humbles demeures et, s'en étant approché, il reconnut Lahoual. Son camarade se leva d'un bond, comme profondément surpris de cette apparition, attitude qui aggrava le malaise du fils de l'adjudant-chef de gendarmerie. Il posa son vélo, s'avança vers eux en prenant soin d'arborer un large sourire. Il y avait là deux vieux, trois adultes, trois adolescents outre Lahoual. Sans manifester le moindre signe de mauvaise humeur, tous se levèrent sans un mot, nonchalamment interrompant là leurs conversations, marquant ainsi que celles-ci ne le concernaient pas et qu'il avait dérangé leur réunion. Lahoual indiqua qu'il était content de le revoir et l'invita à regagner sa maison. Ils saluèrent la société de la tête et s'en furent, Jean-Michel poussant son vélo. Ils restèrent un moment silencieux, un moment qui lui sembla interminable. Il finit par s'enquérir des études de son camarade à Oran. Lahoual confirma qu'elles se passaient bien, sans en rajouter, et qu'il avait un espoir raisonnable de devenir instituteur. Jean-Michel, se gardant, lui aussi, de se hausser du col, fit un compte rendu optimiste mais sobre de ses résultats à Toulouse, n'insistant pas sur ses prouesses, omettant de souligner son statut de tête de classe en ce fameux lycée métropolitain Pierre-de-Fermat auquel on ne pouvait comparer le lycée d'Oran. Que pesait l'École d'instituteurs de ce lycée au regard des futures études de droit de la faculté de Toulouse ? Et pourtant, songeait Jean-Michel, était-il vraiment plus doué que Lahoual depuis qu'ils usaient ensemble leurs culottes sur les bancs des écoles d'Aïn-Témouchent ? Si les parents de Lahoual en avaient eu les moyens, leur fils ne se serait-il pas, lui aussi, retrouvé dans un grand lycée de métropole ? Qui sait jusqu'où il serait monté ? Jean-Michel se souvenait que Lahoual surpassait en calcul tous ses condisciples, y compris lui-même, et que ses maîtres lui promettaient un bel avenir en ce domaine. Élève en taupe à Pierre-de-Fermat, serait-il devenu agrégé de mathématiques, chercheur, tandis que lui, Jean-Michel, plaiderait dans les prétoires en vue, défendrait de nobles causes avec brio ? Non. Lahoual serait un jour un instituteur apprécié, l'un des tout meilleurs d'Algérie, une élévation sociale majeure, un bâton de maréchal pour le fils d'un ouvrier agricole arabe. Une idée étonnamment subversive lui vint alors à l'esprit : que de points communs avec l'élève Abane Ramdane né à Azouza, un village de Kabylie habité de montagnards durs au travail, accrochés à leurs champs abrupts, amoureux de leurs figuiers et de leurs oliviers, élève intelligent, appliqué quoique déjà ombrageux, sur qui comptaient ses parents, sa parentèle, pour, grâce à ses dispositions et à leurs sacrifices, construire une scolarité brillante afin, qui sait, d'atteindre au statut de fonctionnaire, mettant ainsi tout le monde à l'abri. Pensez ! Fonctionnaire, le petit Abane ! De quoi se plaindrait-il ? Un petit Kabyle soutien de famille ! De fait, il obtint le certificat d'études puis le baccalauréat au terme d'une scolarité facile à Blida. Lui aussi, à l'instar de Lahoual, s'était révélé doué pour les mathématiques. Jean-Michel, perdu dans cette songerie tout compte fait assez redoutable, avait couché son vélo sur le bas-côté. Pour le coup, c'était cette fois Lahoual qui le considérait avec une certaine perplexité.

– Ça ne va pas ?

– Si, si, je pensais à quelque chose…

– Viens, reposons-nous sous ces citronniers.

Ils avaient pausé et s'étaient absorbés dans leurs pensées. Et puis, Jean-Michel, qui, après tout, détenait la main puisqu'il avait pris l'initiative de se déplacer, rompit le silence :

– J'étais venu pour discuter avec toi de ce match de foot que Sidal avait organisé et qui a été annulé, c'est avec toi qu'il s'était mis d'accord, je crois, que s'est-il passé au juste ?

Il s'était exprimé sans conviction. Désormais, son esprit volait ailleurs, son désir d'en avoir le cœur net sur cet incident, qui l'avait poussé jusque-là, à Laferrière, s'était émoussé. Il barbotait dans la confusion, le désemparement dû à ce « syndrome d'Abane » qui le condamnait à intervalles de plus en plus rapprochés à ne plus voir sa chère Algérie natale que défigurée, en terre hostile et qui ne cesserait de le devenir. Tout ça à cause d'un agitateur pour l'heure supposé être hors d'état de nuire. Pour combien de temps ? Et Lahoual ? Avait-il déjà basculé ? Était-il le représentant clandestin d'Abane auprès de la jeunesse arabe du coin ? Y avait-il en lui un petit Abane en gestation ? L'annulation de ce match devait-elle se comprendre comme une sorte d'acte de résistance ?

– Je vois que ça t'a beaucoup contrarié, avait compati Lahouel, plutôt conciliant, quelque peu navré lui-même, mais beaucoup de mes copains du douar ne sont pas libres ce jour-là, ça s'est trouvé comme ça, on le remettra, ça ne vaut pas la peine d'en faire une histoire.

Ils contemplèrent en silence le domaine immense qui s'étendait tout autour d'eux, les terres luisantes récemment labourées, les sillons impeccables, les pousses qui pointaient leur nez ici et là, les arbres en fleurs, prêts à nourrir grassement de leurs fruits l'Oranie, et au-delà les oignons de Dupuy-Carrérat, les céréales de Dupuy-Carrérat, des milliers d'hectares bourrés de richesses. Et Lahoual qui, brusquement, volontairement ou non (comment savoir ?), appuyait là où Jean-Michel s'était lui-même endolori, victime de son étrange masochisme politique inoculé à Albi, dont il désespérait de jamais se défaire, et donc Lahoual :

– C'est un beau domaine, hein ?

Oui, c'était un beau domaine, assurément. Lahoual s'était exprimé sur un ton qui lui parut ambigu, porteur de sous-entendus équivoques chargés d'une aigreur accumulée au long du siècle écoulé, du genre : est-il normal et juste que ces terres que nos pères ont travaillées, sur lesquelles ils continuent de s'échiner, de suer sous leurs burnous, formule, au demeurant, inventée par les Blancs en connaissance de cause, appartinssent à un seul homme, une seule famille ?

Jean-Michel eut alors hâte de s'éclipser. Il consulta sa montre et dit :

– Je dois m'en aller, je suis content de t'avoir revu, à bientôt.

Il enfourcha sa bicyclette et, en quelques coups de pédales, se perdit rapidement à l'horizon. Lahoual parut déconcerté par cette précipitation. Mais, selon lui, il n'était pas sûr qu'elle le dérangeait vraiment. De cette période, il conservait en mémoire les moindres détails, ce qui ne fut pas toujours le cas pour des périodes ultérieures ou de fragments d'entre elles.

Jean-Michel rentra chez lui directement, irrité contre lui-même. Il se sentait incapable d'éluder une réalité irrécusable dont il ne comprenait pas pourquoi il ne l'avait pas aperçue plus tôt : dans son Algérie natale, il y avait dans un camp ceux qui possédaient presque tout et ceux qui ne possédaient presque rien. Jusqu'alors, défricher, bâtir, semer, planter, instruire, enseigner, avait servi de bonne conscience au colonisateur. Ces justifications lui paraissaient d'évidence toucher à leurs limites. Un nouveau départ s'imposait si on voulait éviter des désordres graves voire des drames. Il ne servait plus de rien d'invoquer le passé « civilisateur » pour perpétuer cette situation. À mesure que passait le temps, les bonnes raisons se faisaient de moins en moins convaincantes. Le monde changeait à vue d'œil. La dernière guerre mondiale avait asséné le coup de grâce aux empires. Les peuples sous-développés aspiraient à mieux, et, pour tout dire, à leur indépendance. À cet égard, ses rencontres avec Abane se révélaient édifiantes, roboratives, elles lui procuraient un raccourci vers une lucidité nécessaire à laquelle, sans Abane, le jeune pied-noir de 18 ans n'aurait jamais accédé, encalminé qu'il était au sein d'un entourage pétri de bonnes intentions mais très loin du compte. Le défi était désormais : comment rester lucide sans dérailler vers une dépression annihilante ? Comment voir le côté positif de ce déniaisement brutal que lui avait infligé le détenu d'Albi ?

Il décida de se secouer et sortit prendre un verre chez Sauveur, le rendez-vous des amateurs de sport, où se côtoyaient toutes les générations de Français d'Algérie, ses frères, n'est-ce pas ? Là, sans doute serait-il à l'abri. Un abri que tout à coup il devinait factice.

Ici il me faut placer l'observation qui suit : la prise de conscience politique de Jean-Michel Leutier, engendrée par Abane Ramdane, ne comptera pas pour peu dans la nuit de Zelemta.

Mais, en ce printemps 1953, encore écartelé entre son amour de l'Algérie française et sa lucidité politique balbutiante, là, chez Sauveur, étreint par l'ambiance folklorique et festive, il se disait avec force : ah, c'est sûr que si, à Dieu ne plaise, ces citoyens-là se trouvaient un jour attaqués, ils se défendraient avec l'énergie du désespoir, et même avec furie, et qu'alors, moi, Jean-Michel, je serais au premier rang de la bataille, à leur côté.

Ils furent tous là, les Cervantès de Béni-Saf, au repas de Pâques, dans leur maison familiale de la rue Lamoricière, simple, mais spacieuse, soignée, coquette, riante, que le grand-père Guy, maçon-couvreur, avait construite de ses mains, pan par pan, rajoutant des pièces au gré des circonstances, des économies amassées, des naissances dans la famille, ce qui lui conférait une allure tarabiscotée, baroque, unique à Béni-Saf, dont on ne se moquait plus vers 1950 car on avait fini par la voir et la juger originale entre toutes. Enfant, Jean-Michel avait adoré l'explorer et y aménager moult cachettes en jouant avec ses cousins et cousines. Il y venait dès qu'il le pouvait, elle le changeait de l'appartement de fonction si ordinaire de la gendarmerie. Guy, le grand-père maternel de 85 ans, était toujours là et la grand-mère couturière experte de 83 ans aussi, même pas courbés sous le poids d'années de labeur intense.

– Voulez-vous les noms des rues voisines, petit curé ?

m'avait demandé, un rien provocateur, le lieutenant, décidément très attaché aux symboles incarnés par les noms de rues et de lieux d'Algérie, ils ne le cèdent en rien à ceux de la bonne ville d'Aïn-Témouchent, et je m'en suis repu inlassablement à chacune de mes déambulations, au moins n'aurons-nous pas eu honte de l'histoire de la mère patrie, d'elle si loin et si peu aimés : la rue de la République, la rue Jean-Jaurès, la rue de la Liberté, et même, tenez-vous bien, la rue Robespierre ! Mieux, ou pire, comme vous l'entendrez, qu'à Aïn-Témouchent ! Ici, on aura respiré l'air de nos révolutions, ce qui, une fois de plus, incite à mesurer combien la France des libertés était présente, dominante, dans l'Algérie française profonde… Certes, ces rues jouxtent celles portant les noms des grands colonisateurs et autres pacificateurs, le gouverneur Chanzy, les généraux Bugeaud, Lamoricière, mais il y avait aussi pas loin Anatole France… Nous, les Français d'Algérie, nous n'avons pas réussi à nous organiser pour faire savoir et comprendre à nos compatriotes de métropole notre attachement viscéral aux libertés, nos vertus républicaines si chevillées au corps, nous avons commencé avec Victor-Hugo, Voltaire et Jean Jaurès, et nous voici repoussés et réduits au rôle d'oppresseur colonial, nous avons pourtant des cartes mais on ne les abat pas pour la raison que nous sommes désemparés, ignorants des règles de ce nouveau jeu qui nous est proposé, celui de la décolonisation mondiale en marche qui n'épargnera pas notre Algérie, ce n'est plus là l'intuition instillée en moi par Abane à Albi mais une certitude que je me suis forgée depuis.

Le lieutenant s'était tu. Et, ce jour-là, nous avions dû interrompre ces confidences. Nous les remîmes au lendemain.

– Tous ces pieds-noirs, avait précisé Jean-Michel avec émotion, étaient arrivés d'Espagne, les pieds-noirs Cervantès.

Les parents de Guy le maçon et de Marie-France la couturière, et donc ses arrière-grands-parents, puisaient leurs origines dans un hameau de l'Andalousie aride à Boadilla, au pied de la Sierra Nevada, près de Grenade. Ils avaient surgi d'abord à Mascara en 1860, à l'âge de 25 et 23 ans, lui maçon, elle serveuse dans un hôtel-restaurant. Puis lui maçon-couvreur à Béni-Saf où l'avait attiré et piloté un certain Martin Suarez originaire de son hameau natal et dont, en 1960, des descendants habitaient encore Béni-Saf, et elle couturière qui devait se créer assez vite une clientèle, et puis leurs trois enfants : Guy, le père de sa mère, Rosa, sa tante Cervantès, mariée au pêcheur Saréa, Jean-Marie, ancien employé des Postes à Tiaret, lui aussi bon pied bon œil, un retraité toujours doté d'une belle voix. Un échantillon fort représentatif des bataillons des pieds-noirs d'Espagne.

Il y avait aussi ceux d'Alsace, d'Italie, de Malte, de

France métropolitaine, tous ayant fui, en leur temps, la misère, la réprobation, voire les rigueurs de la justice, pour enfin respirer, travailler, engendrer libres en ce territoire où ils avaient débarqué pour trouver le salut et le soleil, et alors, oui, plaidait Jean-Michel, que voulez-vous qu'ils fussent, à la fin, autres que français, tout espagnols qu'ils étaient nés ?

J'ai recopié là, quasiment mot à mot, des phrases déjà écrites dans mes notes chaque soir de ces journées pour moi extraordinaires en vérité. Je retenais qu'au fond, ce qu'avait voulu m'expliquer le lieutenant Leutier, c'est que la rébellion de 1954 ouvrait un deuxième chapitre de l'histoire de ces émigrés, que c'est cela qu'il importait, désormais, de saisir, et au plus tôt, afin de ne pas commettre des erreurs irrémédiables, condition *sine qua non* pour écrire ce deuxième chapitre en communion avec les indigènes arabes et autres, neutraliser, si besoin était, «faire la peau» de tous ces «gros maquignons» (expression utilisée par Jean-Michel) qui, des décennies durant, n'avaient eu de cesse de torpiller les différents et successifs statuts qui se proposaient, justement, d'établir ou de rétablir un minimum de droits, d'équité, de respect dans les relations entre les Européens et les autres, statuts soutenus alors par nombre de futurs dirigeants de la révolution qui n'exigeaient nullement l'indépendance. Par exemple le statut Blum-Viollette dont le but affirmé était que les étudiants musulmans, tout en restant musulmans, deviennent français et qu'aussi imbus de préjugés religieux et racistes qu'ils soient les colons ne puissent leur décrier la fraternité française. C'était en 1936 ! Aussitôt, l'Algérie européenne s'était opposée à ce projet vent debout, les «gros» entraînant les «petits», les manipulant, les excitant par tous les moyens contre cette initiative du Front populaire : les anciens combattants défilèrent, la presse algérienne tenue par les «gros maquignons» stigmatisa «l'ignorance parisienne», les maires menacèrent de démissionner et, pour la plupart, s'écrièrent : nous ne tolérerons jamais, même dans les plus petites communes d'Algérie, qu'un Arabe puisse être maire ! Et le pauvre député Viollette de déclarer à la Chambre : «lorsque les musulmans protestent, vous êtes indignés ; lorsqu'ils approuvent, vous vous montrez soupçonneux ; quand ils restent tranquilles, vous avez peur... Messieurs, ces gens n'ont pas de nation politique, ils ne demandent même pas une nation religieuse, tout ce qu'ils demandent, c'est d'être admis dans la vôtre, si vous refusez cela, prenez garde qu'ils ne créent une nation pour eux-mêmes !» Fermez le ban.

– Je ne me suis penché sur cette histoire que récemment, petit curé, lors de ma première convalescence, et depuis j'y pense trop et il m'arrive d'en pleurer de vraies larmes qui coulent sur mes joues, comme un enfant... Mais il m'advient aussi de penser que ces montagnes d'égoïsmes aveugles, grossiers, stupides, justifient les terribles retours de bâton qui ont fini par les ébranler et qui finiront par les renverser... À Pâques 1953, je ne savais quasiment rien de tout ça, je n'étais qu'un oisillon à peine tombé du nid, j'ignorais tout de l'histoire du pays qui m'avait vu naître, d'où l'impact surdimensionné de mes rencontres avec Abane qui me donnait là mes premières leçons de politique, mais aujourd'hui, revoyant les images de cette joyeuse et fraternelle réunion de famille, je ne puis me dispenser de m'interroger : celles et ceux qui étaient en âge de le faire, avaient-ils défilé dans les rues de Béni-Saf en 1936 pour s'opposer à ce projet Blum-Viollette ? Cela me paraît impossible vu leur attachement sincère aux idées socialistes et tant je les sais éloignés, à tous points de vue, des « gros maquignons », les Borgeaud, les Schiaffino et autres Blachette, magnats de la marine marchande, de l'Alfa, des milliers d'hectares, des milliers de travailleurs, à l'heure où je vous parle déjà à l'abri des convulsions qui vont broyer les petits pieds-noirs. À l'abri, oui, eux, leurs familles, leurs biens, leurs villas de Tipaza déjà remplacées par celles d'Arcachon, je tiens tout ça du médecin-colonel qui a veillé sur moi ces deux derniers mois, pas homme à colporter des ragots. Ou alors, en dépit de leur « socialisme », craignaient-ils que les Arabes, forts de leur domination démographique, n'en abusent ? Je ne sais, je n'ai pas osé le leur demander, c'était déjà trop tard, tout ce dont je suis sûr, c'est qu'ils ne pourront rester ici, et cela, pour eux, ce sera le pire des dénouements...

À la fin de cette nouvelle incidente, il parut un peu moins fatigué que ce à quoi on aurait pu s'attendre, et comme je me disposais à quitter les lieux afin de le laisser se reposer, il m'invita à demeurer avec un sourire contraint :

– Ne partez pas, petit curé, je ne me sens pas si mal, je dois vous raconter Pâques, ce ne sera pas très long, rien que du bonheur, des rires, des chansons, de grosses plaisanteries, des toasts en l'honneur de chacune et chacun, des projets de vacances d'été avec les cousines et les cousins, Alfred, en apprentissage sur le chalutier de son père Saréa, France, à l'œuvre dans l'épicerie appétissante de Rosa Février née Cervantès, Émilie, élève studieuse à l'École d'infirmières de Mostaganem, sur les traces de sa tante Arlette, ma mère, Robert, fils de mon oncle instituteur à Aïn El Turck, près d'Oran, tous sous la présidence des grands-parents aux anges, et, entre le riz au poisson et les *mounas* «maison» traditionnelles, le *Chant des Africains* entonné par mon oncle Saréa : «C'est nous les Africains qui arrivons de loin, venant des colonies pour sauver la patrie (un chant écrit en 1943), nous avons tout quitté, parents, gourbis, foyers, et nous gardons au cœur une invincible ardeur, car nous voulons porter haut et fier le beau drapeau de notre France entière, et si quelqu'un venait à y toucher, nous saurions tous mourir à ses pieds, battez tambours ! À nos amours, pour le pays, pour la patrie, mourir au loin ! C'est nous les Africains ! Et lorsque nous reviendrons dans nos gourbis, le cœur joyeux et l'âme fière d'avoir libéré le pays, en criant, en chantant : en avant ! »

Et tous et toutes s'étaient joints à l'oncle pêcheur pour entonner avec une ferveur naïve ces refrains patriotiques, hommage simple, fruste, pathétique mais ardent, à ceux de cette terre d'Afrique, en particulier de cette Algérie chérie, qui avaient combattu ou étaient morts pour la France.

Beaucoup se moqueront peut-être mais ce n'étaient pas des valeurs surannées qui se trouvaient célébrées mais un exode tragique, l'un des plus massifs de l'histoire contemporaine dont on tente d'écrire le prélude à la lumière de l'affaire de Zelemta : 1 million et demi de personnes arrachées à leur terre natale. Entre « la valise ou le cercueil », ils avaient choisi la valise. Deux ans après le décès du lieutenant Leutier.

En 1962, les Accords d'Évian sonnaient le cessez-le-feu. Dès lors, il n'était plus temps ni convenable de les accabler, de les placer devant leurs fautes et leurs erreurs. Ils les payaient trop cher. Et à moi, le « petit curé », il ne me restait plus le 16 juin 1962, juste avant de gagner Oran afin de m'embarquer dans l'avion qui me ramènerait en France, que de me rendre sur la tombe du lieutenant au cimetière d'Aïn-Témouchent et d'y déposer un petit bouquet de fleurs des champs.

Mais je dois revenir à 1960, au chevet de Jean-Michel Leutier, lequel m'avait invité à constater que de Gaulle avait « jeté le masque ». Alger s'était enflammé, les pieds-noirs paniqués, déboussolés, se donnaient à des chefs ultra sans envergure, des aventuriers sans foi ni loi. Ils auraient mérité mieux. Au début de cette année, les gendarmes français avaient tiré sur la foule, des Français avaient tué des Français pour la première fois en Algérie, c'était le début de la fin, de la débâcle, le FLN avait jeté les masses dans la rue aux cris de : Algérie arabe ! À bas Massu !

– Et ma famille s'oblige à croire que tout peut encore s'arranger, petit curé... Abane n'est plus là pour voir ça mais c'est lui qui, en quelques mois, a forgé les armes de la révolution.

Depuis Pâques 1953 il ne s'était écoulé que 7 années et pourtant, pour le lieutenant, c'était plus qu'un siècle qui était sur le point de s'écrouler.

– Nous avions entonné le rituel *Viva España*, « j'aime tes danses et ta musique », que mes grands-parents andalous reprenaient avec ferveur et émotion, et puis il y eut *Dos Cruces*, petit curé, à la fin de ces agapes, ma mère avait lancé à son frère : allez, Jean-Marie, *Dos Cruces*, et tous de scander : *Dos Cruces, Dos Cruces* ! et alors, Jean-Marie s'était levé, le silence s'était établi, et cette chanson qui courait les rues et les ruelles d'Oran fit une fois de plus son effet portée par «la plus belle voix d'Oranie», elle étreignit les poitrines et les cœurs, «la plus belle chanson d'amour du monde», laissant chacune et chacun s'enfoncer en lui-même, ressusciter de lointaines amours secrètes, réelles ou rêvées.

Le lieutenant donnait maintenant des signes patents de lassitude et je l'invitai donc à remettre ces «Dos Cruces» à plus tard. Mais non. Il tint à les fredonner du début à la fin. Mon devoir de mémoire, face à l'importance qu'il avait semblé accorder à cette chanson sévillane, m'impose de la restituer ici, flanquée de sa traduction, tout comme je me suis senti obligé de citer le poème de Xavier Grall. Il y a des traces, au gré des narrations, qui ne se peuvent occulter aisément même si, en toute justice, elles ne conduisent par elles-mêmes nulle part et paraissent éminemment facultatives.

DOS CRUCES

Sevilla tuvo que ser (Seville ne pouvait pas ne pas être)
Con su lunita plateada (avec sa petite lune d'argent)
Testigo de nuestro amor (témoin de notre amour)
Bajo la noche callada (sous la nuit tombée)
Nos quisimos tu y yo (nous nous aimâmes toi et moi)
Con un amor sin peccado (d'un amour sans péché)
Pero el destino ha quérido (mais le destin a voulu)
Que vivamos separados (que nous vivions séparés)

Estan clavadas dos cruces (sont clouées deux croix)
En el monte del olvido (sur la montagne de l'oubli)
Por dos amores que han muerto (pour deux amours qui
    sont morts)
Sin haberse comprendido (sans s'être compris)
Que son el tuyo y el mío (qui sont le tien et le mien)
Ay, ay, ay, ay, (malheur, malheur, malheur, malheur)
Que son el tuyo y el mío (qui sont le tien et le mien)

Ay barrio de Santa Cruz (il y a le quartier de Santa Cruz)
Ay plaza de doña Elvira (il y a la place de doña Elvira)
Os vuelvo yo a contemplar (vous m'invitez à vous
    contempler)
Y me parece mentira (et me paraissez mentir)
Ya todo aquello paso (déjà tout cela est passé)
Todo quedo en el olvido (tout reste dans l'oubli)
Nuestras promesas de amores (nos promesses d'amour)
En el aire se han perdida (dans l'air se sont perdues)
Estan clavadas dos cruces (sont clouées deux croix)
En el monte del olvido (sur la montagne de l'oubli)
Por dos amores que han muerto (pour deux amours qui
    sont morts)
Sin haberse comprendido (sans s'être compris)
Que son el tuyo y el mío (qui sont le tien et le mien)
Ay, ay, ay, ay (malheur, malheur, malheur, malheur)
Que son el tuyo y el mío (qui sont le tien et le mien)

Cette fois, il était temps qu'il s'arrêtât. Cependant, il ne voulut pas que je parte. Il pausa une demi-heure. Nous contemplâmes la mer en silence. Puis, à petits pas, nous allâmes faire un tour sur la Promenade. Il me confia que lors de ces retrouvailles pascales, le « syndrome d'Abane » était resté actif, sans toutefois se manifester avec trop de virulence. Sauf quelques minutes où il s'était imaginé tous ces êtres qu'il aimait tant et si attachés à leur terre s'embarquer, comme d'ailleurs ce fut le cas, précipitamment sur le chalutier de l'oncle Saréa, affronter la tempête sur les côtes espagnoles, enfin toucher à Port-Vendres, eux et leurs bagages bouclés à la hâte, et ses cousines rapatriées en catastrophe en avion militaire en compagnie de prisonniers de l'OAS, l'Organisation Armée Secrète, bras armé des derniers pieds-noirs désespérados qui sema la terreur tant en Métropole que dans les principales cités d'Algérie au lendemain des Accords d'Évian actant l'Indépendance et qu'ils n'acceptaient pas.

Devant tant de souffrances et de méchantes fortunes, le « petit curé » se sentit plus tard désarmé, réduit à l'état d'un ci-devant voyeur dont la remembrance obscène ne cesse de le perturber, de le culpabiliser. Au moins aurai-je servi à écrire, tant bien que mal, la présente histoire.

Vers l'automne 1960, le lieutenant eut une réflexion que je m'empressai de consigner sur mon petit carnet de notes. Il me dit que ce «syndrome d'Abane» le plongeait à Toulouse dans des visions aussi lucifériques que prémonitoires de l'avenir prochain de l'Algérie française, fondait sur lui à la manière tantôt de violentes crises de migraine tantôt d'accès d'épilepsie, au comble de leur virulence. Dans ces cas-là, il n'échappait pas à son entourage, soit dans sa famille soit au lycée, que quelque chose n'allait pas chez lui. Mais comme il était seul à connaître la nature de son mal, on l'attribuait à un excès de travail tant on le voyait toujours penché sur ses bouquins et absorbé dans ses cours. Rétrospectivement, il s'en amusait presque :

– Je fus alors atteint d'une affection inconnue de la faculté, petit curé. Le mal frappait sans crier gare puis s'enfuyait aussi inopinément qu'il était apparu. Pour bien le comprendre, je dois me répéter, rappeler derechef ce qui le rendait si constant et virulent, sans quoi la suite et le dénouement de cette histoire demeureraient incompréhensibles.

Le syndrome tirait sa force et sa nuisance du sentiment qui peu à peu approchait de la conviction que Abane Ramdane voyait juste. S'il avait été bâti du même bois que les autres pieds-noirs, Jean-Michel n'aurait rien vu venir mais la lucidité venimeuse à lui inoculée par Abane l'avait épargné. La mise en œuvre du projet politique du prisonnier d'Albi, vu l'état politique, économique et social de l'Algérie, lui paraissait désormais imminente et inévitable. En cette année 1953, il repartit à Toulouse décidé très fermement à mettre un terme à ses visites au détenu. Il en informa son ami Jouli puis sa famille. Il en avait assez, avait-il exposé, de subir l'agressivité de M. Abane alors qu'il n'était, lui, animé que d'intentions aimables et charitables. D'être natifs du même pays les avait attirés l'un vers l'autre mais, désormais, les éloignait. Ce qui fut parfaitement saisi par ses hôtes. Dès lors, les week-ends se détendirent à Albi. Rolande fut, à sa grande joie, libérée de ses devoirs de visite et les jeunes gens profitèrent au mieux de cette autonomie retrouvée. Le troisième trimestre fut avalé avec appétit et brio par le lycéen Leutier. Il obtint son baccalauréat de philosophie avec mention très bien et s'inscrivit dans la foulée à la faculté de droit. Ses parents lui louèrent à un prix abordable un studio rue

Rivals, au cœur de Toulouse. Son père lui écrivit en lui suggérant, sans toutefois lui forcer la main, de passer une quinzaine chez les vieux Leutier en monts d'Arrée, en compagnie aussi de quelques cousins et cousines bretons.

La maison familiale, plus que rustique, avait été gentiment aménagée et restaurée grâce au soutien de l'adjudant-chef et de sa sœur, employée à l'EDF de Vannes. Jean-Michel découvrit que le pays maudit des *Déments* de Xavier Grall commençait à muer en un lieu touristique rude mais d'un caractère indéniable, lequel, d'ailleurs, devait s'affirmer au fil des ans. Son père lui écrivait qu'il ne fallait pas humilier cette moitié un peu fruste de la famille. En juillet 1953, il passa donc 15 jours du côté de Brasparts avant de repartir en Algérie pour le reste de ses vacances d'été. Le séjour breton se déroula correctement. Mais les Leutier et lui ne s'étaient pas vus souvent, se connaissaient mal. Il y eut de la sympathie mais pas de chaleur véritable. Sans compter que le niveau intellectuel de Jean-Michel avait fait des bonds de géant depuis son dernier séjour à Brasparts deux ans plus tôt. Ses deux cousins et sa cousine suscitaient une cordialité sincère mais guère son intérêt. Il se révélait laborieux d'échanger des idées sur des sujets culturels. Jean-Michel s'efforçait d'y remédier au mieux en provoquant des discussions sur l'avenir du pays ou celui des clubs de foot de la région. Peut-être sans y réussir pleinement. Mais il y a une chose qu'il retint de ce séjour : toute cette partie de sa famille, et, au-delà, la population des monts d'Arrée, à l'instar des Jouli d'Albi, se fichait pas mal de cette Algérie au diable vauvert, et de ses pieds-noirs « qui avaient la belle vie et exploitaient les Arabes ». Ce qui confirma à Jean-Michel que s'il advenait là-bas des événements difficiles à vivre, les pieds-noirs ne pourraient espérer la compréhension et le soutien de la France profonde. L'Algérie, oui, c'était une partie rose sur la carte de l'outre-mer, mais ce n'était que ça. Non, décidément, ce n'était pas l'Alsace et la Lorraine.

Voilà qui ne fut pas de nature à tordre le cou au « syndrome d'Abane » qui, pourtant, depuis qu'il avait rompu avec le prisonnier d'Albi, lui laissait un relatif répit. Quand Jean-Michel prit congé de sa famille bretonne, sensible à ses efforts méritoires pour lui rendre son séjour le plus agréable possible, il avait touché du doigt que, décidément, son pays était là-bas, de l'autre côté de la Méditerranée, et qu'ici, en France métropolitaine, il n'était, in fine, qu'un étranger. Qu'arrive-rait-il si, par malheur, les pieds-noirs devaient se replier en masse sur le continent ? Où iraient-ils ? En monts d'Arrée ? À Perpignan ? À Toulouse ? À Montauban ?

Dans le train qui traversait la douce France, de Nantes à Marseille, il se dit qu'il ne devait pas louper son droit. Qu'obtenir sa licence était vital. Qu'il devait impérativement s'armer pour affronter un avenir qu'il devinait si problématique, au contraire de ses parents Cervantès juchés sur leur nuage. Le «syndrome d'Abane» avait fait de lui un visionnaire. Et non un malade.

Leutier et sa famille avaient prévu de fêter ensemble le 14-Juillet. Et donc, il débarqua à Oran au matin du jour dit où, comme d'habitude, l'attendait sa maman. Dans la voiture, il lui fit un rapport lénifiant de ses vacances bretonnes qu'il répéta devant son père avec, cependant, plus de chaleur. Et dans l'après-midi, des informations parvinrent de Paris qui, certes, émurent sa parentèle et, au-delà, la communauté pied-noir, sans toutefois la bouleverser, mais qui atteignirent Jean-Michel au cœur de ses doutes et de ses tourments : à l'issue d'une manifestation organisée par le Mouvement de la paix, 6 manifestants algériens avaient été tués par la police parisienne, place de la Nation, et 40 blessés par balles. Un militant cégétiste fut lui aussi abattu. Dès 1950, les militants du Parti Populaire Algérien et aussi ceux du MTLD de Messali Hadj se joignaient régulièrement aux cortèges ouvriers. Ce jour-là, des milliers d'entre eux s'ébranlent de la place de la Bastille direction Nation. Dans le calme et encadrés par leur service d'ordre. Cette masse d'Algériens progressant avec sang-froid impressionne. Place de la Nation, les premiers rangs poussent les policiers. Soudain, ceux-ci ouvrent le feu sans qu'aucun ordre ait été entendu. Aussitôt surviennent massacres et tabassages. C'est la première fois depuis 1934 que l'on tire sur la foule à Paris. Cela suscitera des commentaires divers lors du repas de famille des Cervantès. Le soir, au bal traditionnel, l'absence de la plupart des Arabes fut remarquée. La majorité des pieds-noirs pensaient que les manifestants algériens de Paris n'avaient pas été suffisamment encadrés, voire que les meneurs avaient recherché l'incident. Ils n'étaient pas, eux, sous l'empire du « syndrome d'Abane ». Pour Jean-Michel, il ne faisait pas de doute qu'il s'agissait là des prémices de la révolution.

Leutier continua à se rendre à Albi jusqu'à la fin du printemps 1954, après quoi, je crois qu'il se lassa de Rolande. Avait-il obtenu, à la longue, toutes ses faveurs ? Je ne saurais m'égarer dans ce type de considérations. Il ne s'étendit jamais sur cette question auprès de son « petit curé ». La partie « Abane » se trouva close avec la réception inattendue d'une courte lettre au mois de novembre 1953. Cette lettre, je la détiens et me prépare à la verser aux Archives nationales non sans avoir beaucoup hésité. Mais si j'ai décidé de rendre publics ces événements, autant ne pas broncher en chemin. Elle fut remise par Abane Ramdane à Mme Jouli lors de l'une de ses visites, à l'intention du lycéen.

Monsieur Leutier,
Je ne vous vois plus et je sais pourquoi. Je vous comprends. Je n'ignore pas que vous venez toujours en week-end à Albi, pas plus que vous avez brillamment

réussi votre baccalauréat. Le but de cette lettre est de vous mettre à l'aise mais aussi de vous assurer de l'importance que j'accorde à nos rencontres. À votre place, j'aurais agi de même. Je disposais de plusieurs méthodes pour conduire nos conversations, au moins trois. L'une consistait à affecter l'indifférence, notre différence d'âge et de culture politique ne se prêtant pas à des échanges de vue féconds, l'autre à couper court avec ces visites inutiles d'un jeune pied-noir habitué dès sa naissance à ne voir qu'une seule Algérie, la sienne, celle des Européens dominateurs, et enfin celle que j'ai choisie : saisir l'occasion pour tester mon projet politique auprès d'un lycéen d'évidence à l'esprit vif et curieux, et qui, par surcroît, m'est vite apparu comme parvenu par ses propres moyens au bord d'une prise de conscience intéressante. Je suis sûr, en conséquence, de vous avoir rendu service. Sans moi, ce voile qui obscurcit l'entendement de la plupart des Français d'Algérie, et dont vous n'êtes, malgré tout, pas totalement exempt, ne se serait déchiré chez vous, à l'instar de vos compatriotes européens, qu'au tout dernier moment, et, le jour de la victoire complète de notre Révolution, vous n'auriez plus joui du temps précieux d'aviser, de vous retourner, tandis que je vous permets d'envisager à l'avance la possibilité de nous rejoindre, de vous ménager un avenir au sein de l'Algérie libérée.

Comprenez, monsieur Leutier, que je ne vous

demande pas de trahir les vôtres, le peuple pied-noir, et de passer dans l'autre camp. Bientôt, il n'y aura qu'un camp honorable : celui des Algériens toutes communautés confondues. Une guerre sans merci s'approche, monsieur Leutier, soyez-en sûr, les autorités coloniales le savent bien, simplement elles sont certaines de la gagner car elles ne voient se profiler qu'une révolte de plus, facile à mater. J'ai décelé en vous une sensibilité particulière, une aptitude indéniable, en dépit de votre jeune âge, à recevoir, identifier, analyser des messages et à les interpréter. J'ai la conviction qu'un jour ces qualités plutôt rares auront à s'exercer non sans déchirement, lequel, en toute hypothèse, sera à mettre à votre crédit. Qui sait ? Peut-être souffrirez-vous plus que les autres ? Vous appartiendrez à cette minorité qui admettra la légitimité de notre cause mais qui, emportée par le poids de l'atavisme, se sentira obligée de la combattre. Oui, monsieur Leutier, je sais pourquoi vous avez décidé de ne plus me revoir, si je puis ainsi m'exprimer, vous avez reçu votre dose, plus que vous ne pouviez supporter à 18 ans. Mais vous voilà édifié avant l'heure. Sachez que si, d'aventure, vous aviez besoin de moi, en quelque situation que ce soit, mon destin, sans prétention aucune, étant d'accéder au noyau des dirigeants suprêmes de la révolution en marche, vous pourrez compter sur moi. Car, je le répète, au contraire de ce que vous pourriez penser, et même si je n'en ai pas

donné des signes suffisants, vos visites et nos conversa-
tions m'ont procuré beaucoup de satisfactions.

Je vous souhaite bon vent, monsieur Leutier, pour la
suite de vos études dont je ne doute pas qu'elles seront
remarquables. Je ne suis pas sûr de survivre aux périls
qui m'attendent. Alors, ne m'oubliez pas.

Ramdane

Cette lettre envenima le « syndrome d'Abane ». Elle
acheva de le persuader que, pour le moins, l'avenir des
Français d'Algérie n'était plus assuré. Il douta que des
réformes, même sérieuses, telles qu'il les avait entendu
prôner dans son entourage familial, trop retardées,
restent possibles. C'est au reçu de cette lettre qu'il se
dit, pour la première fois, que l'unique perspective de
salut face à cette guerre annoncée comme inévitable par
le chef insurgé résiderait en son affrontement résolu,
fût-ce en usant de tous les moyens, y compris ceux en
principe réprouvés par la patrie des Droits de l'homme
et des citoyens. Qu'on lâche les protectorats du Maroc
et de la Tunisie et que l'on se concentre sur les trois
départements français d'Algérie : Alger, Oran, Constantine, et les Territoires du Sud (Sahara). Et cela devait
être anticipé vigoureusement, ne pouvait attendre. Il
fallait empêcher les excités de nuire. La « révolution »
d'Abane n'en était pas encore une. Ainsi, la lettre du
prisonnier d'Albi engendra-t-elle son contrepoison

dans la tête du désormais étudiant, une conscience politique précoce, au demeurant prévue par Abane, et qui se résumait ainsi : Eux ou nous.

J'ai constaté dans mes notes, chaque soir scrupuleusement complétées, que Jean-Michel s'était montré peu prolixe sur ses activités entre l'été 1953 et l'automne 1954. Et ce pour trois raisons qu'il me laissa apercevoir et une qu'il me livra explicitement. D'abord, il s'abîma dans son travail jusqu'à s'imposer comme l'un des étudiants les plus performants de la faculté de droit. Ses relations sentimentales s'étaient, pour reprendre son propre euphémisme pudique, «diversifiées». Toulouse regorgeait de jolies filles parmi lesquelles les étudiantes intelligentes n'étaient pas absentes. Et leur compagnie, m'avoua-t-il un peu contrit, tranchait avec la relative banalité de Rolande Jouli, banalité intellectuelle fallait-il entendre car, pour ce qui était de la séduction, elle supportait largement la comparaison avec les Toulousaines.

Ensuite, rien de ce qui survenait d'important en politique ne concernait encore directement l'Algérie. Certes, il baignait dans les manifestations qui perturbaient presque toutes les facultés de Toulouse et, au-delà, les universités de France, opposant violemment le Mouvement de la paix et le Parti communiste aux sections, partis et commandos de l'extrême droite, mais il était là question de l'Indochine. C'est qu'il y eut Diên Biên Phu et l'émergence de Mendès-France, lequel affirma à la Chambre des députés qu'en 30 jours il ferait la paix, non seulement en Indochine mais aussi en Tunisie et au Maroc où la situation se détériorait et se compliquait à vue d'œil, où les gouvernorats branlaient dans le manche, programme qu'il réalisa en homme d'État d'exception qu'il fut.

L'étudiant Leutier avait accueilli ces événements avec un intérêt serein. Lui aussi pensait que l'Indochine était un fardeau insupportable obérant les chances de l'Algérie de tirer son épingle du jeu en tant que terre française à part entière et que, de plus, et toujours de ce point de vue, se libérer des problèmes de la Tunisie et du Maroc jouait dans le même sens. Jean-Michel devint donc mendésiste à son heure. Pas un porteur de pancartes ou de banderoles. Un mendésiste sincère et discret. Le ministre Mitterrand avait renforcé sa position en déclarant : « En raison de son long engagement en Indochine, la France devait manquer son rendez-vous européen et négliger la mission algérienne. »

Ce que Jean-Michel ignorait, au printemps de cette année 1954, c'est la naissance dans la clandestinité d'un nouvel organisme directeur de la Révolution en marche, le CRUA (Comité Révolutionnaire d'Unité et d'Action), composé des chefs dits plus tard « historiques » : Aït Ahmed, Ben Bella, Ben Boulaïd, Ben M'Hidi, Bitat, Boudiaf, Didouche, Khider, Krim, tandis que Ramdane moisissait toujours à Albi en attendant son heure. Ce CRUA avait conçu un plan d'action fixé au 1er novembre, pas par hasard, le jour de la Toussaint, fête des catholiques pieds-noirs fervents, affaiblissant leur vigilance et aussi celle de la police et de la gendarmerie. Le but était de semer la mort et la terreur simultanément sur tous les points du territoire. À cet effet, furent patiemment et secrètement constitués des stocks d'armes et d'explosifs un peu partout, prêts à être utilisés dès les ordres reçus. Pour l'heure, l'Algérie semblait paisible. Et en tout cas, sous contrôle. Ce dont, grâce, pourrait-on dire, au « syndrome d'Abane », le jeune homme doutait fort.

Enfin, il y eut une troisième raison au laconisme de Jean-Michel sur cette époque, et le lieutenant m'en donna lui-même l'explication : à l'automne 1960, alors que nous en étions, chronologiquement, à la relation des faits advenus après la lettre d'Abane Ramdane, plus précisément, je crois, à la fin du mois d'octobre, son état subit une brusque détérioration. Il se fatiguait beaucoup plus vite. Il supportait mal le climat de la saison et nous ne nous vîmes plus qu'à l'intérieur de l'hôpital. Il fut alors question que les Cervantès aménagent à son intention, avec l'assistance du corps médical, une chambre ad hoc dans la maison familiale, ce qu'il refusa tout net au motif qu'en ce cas il pèserait davantage encore sur la vie quotidienne de sa parentèle qui déjà se partageait le temps des visites. Il lui suffisait que chacun et chacune viennent le voir chaque jour et brièvement à son heure. À l'hôpital, il se sentait vraiment comme chez lui. À cet égard, la régularité et la fréquence de mes visites à moi ne laissaient pas d'intriguer, d'autant que sa famille ne parvenait pas à obtenir de moi le moindre éclaircissement. C'est que j'opérais en service commandé : le lieutenant avait expressément exigé de moi cette discrétion. J'étais prêtre et j'avais à peu près son âge. Voilà qui, avait-il affirmé une fois pour toutes, justifiait l'intérêt particulier qu'il me témoignait ostensiblement. Mais le résultat de son affaiblissement fut que nous dûmes, désormais, aller au plus court, à l'essentiel. C'est ainsi que d'un coup d'ailes nous nous posâmes sur le fameux 1er novembre 1954. Jean-Michel était alors en deuxième année de droit.

En vérité, cette nuit du 30 octobre au 1er novembre 1954, date historiquement retenue pour le début de la guerre d'Algérie, quoique associée à des meurtres d'Européens et autres exactions et sabotages, ne fut point la réussite escomptée par le FLN naissant (Front de Libération Nationale), balbutiant encore dans ses limbes. Loin s'en fallut. Les groupuscules et commandos répartis sur le territoire par le CRUA loupèrent bon nombre de leurs missions et objectifs. Oumarane en Kabylie, Bitah à Blida, échouèrent dans leurs entreprises et s'enfuirent dans les montagnes. Dans l'Oranais, les armes censées venir du Maroc n'y arrivèrent pas. Ben M'Hidi dut battre en retraite. Malgré tout, les sabotages avaient causé de sérieux dégâts, notamment en Kabylie : poteaux télégraphiques abattus, incendies d'usines de bouchons et de tabac. Cependant, la population indigène n'avait pas suivi. Ce qui n'empêcha pas le FLN de proclamer le succès du soulèvement général : « Au peuple algérien, aux militants de la cause nationale, après des décennies de lutte, le mouvement national a atteint sa phase finale de réalisation... Notre mouvement de régénération nationale se présente sous l'étiquette de FRONT DE LIBÉRATION NATIONALE... BUT : Indépendance nationale par la restauration de l'État algérien souverain, démocratique, populaire et social dans le cadre des principes islamiques – Le respect de toutes les libertés fondamentales sans distinction de races et de confessions – Assainissement politique par l'anéantissement de tous les vestiges de corruption et de réformisme, causes de notre régression actuelle – Internationalisation du problème algérien... – LES INTÉRÊTS FRANÇAIS, CULTURELS ET ÉCONOMIQUES SERONT RESPECTÉS AINSI QUE LES PERSONNES ET LES FAMILLES – TOUS LES FRANÇAIS DÉSIRANT RESTER EN ALGÉRIE AURONT LE CHOIX ENTRE LEUR NATIONALITÉ D'ORIGINE ET SERONT DE CE FAIT CONSIDÉRÉS COMME ÉTRANGERS OU OPTERONT POUR LA NATIONALITÉ ALGÉRIENNE ET SERONT CONSIDÉRÉS COMME TELS EN DROITS ET DEVOIRS. » C'est moi qui ai mis ces dernières phrases en capitales.

Cette proclamation ne fut pas prise par les autorités avec la considération qu'elle requérait. Sans doute furent-elles abusées par la quantité d'échecs tactiques accumulés lors de ce soulèvement, ce qui les conduisit à le juger comme une révolte sans lendemain de plus. La guerre de propagande commençait. Plutôt mal pour le FLN, en raison de ce qui fut appelé «l'affaire Monnerot». L'assassinat d'un jeune couple français d'instituteurs libéraux débarqués enthousiastes en Algérie, des idées de justice et de lutte contre l'analphabétisme plein leurs têtes, exécutés lors d'une embuscade qui visait en réalité un caïd soupçonné de tiédeur envers la révolution. Les Monnerot se trouvaient dans l'autobus attaqué par hasard : qui les a tués et pourquoi ? Qui a fait du zèle ? Quel comparse du FLN ? Il semble que cet assassinat n'eut pas l'heur de plaire aux dirigeants du soulèvement car il entacha gravement les débuts de leur action. Il marqua le début d'une guerre sanglante qui tua beaucoup d'innocents de part et d'autre et qui devait durer 8 ans.

À Toulouse, Leutier fut sous le choc. Ainsi les «libéraux» aussi devenaient les cibles de la révolution. Comment croire en la sincérité de la proclamation du FLN ? Du coup, il s'inscrivit aux cours de la préparation militaire qui permettait aux étudiants, dès la fin de leurs études, d'entrer directement dans une EOR (École d'Officiers de Réserve).

Au mois de juin 1955, Leutier obtint haut la main sa licence de droit. Il avait 20 ans. Le doctorat et le barreau lui tendaient les bras. Après quoi, il aurait tout loisir de remplir ses obligations militaires. Mais voici que, sans consulter quiconque, il résilia son sursis. Ses parents, une fois informés, en furent consternés, quoique appréciant, en leur tréfonds, la raison avancée par leur fils : on avait besoin de lui sous les drapeaux en Algérie. C'est qu'on rappelait les classes 1953 et 1954 et que l'on mettait déjà la main sur les contingents 1955-1956. Il semblait à Leutier que la Nation se serrait les coudes autour de la question algérienne, que l'on admettait, à son vif soulagement, sa différence fondamentale avec les questions tunisienne et marocaine, tandis que des figures politiques de gauche donnaient de la voix. M. Mendès-France lui-même ne déclarait-il pas : « On ne transige pas lorsqu'il s'agit de défendre la paix intérieure de la Nation, l'unité, l'intégrité de la République. Les départements de l'Algérie constituent une partie de la République française. Ils sont français depuis longtemps et d'une manière irrévocable. Entre l'Algérie et la métropole, il n'y a pas de sécession convenable. Cela doit être clair une fois pour toutes et pour toujours, aussi bien en Algérie et dans la métropole qu'à l'étranger ! Mesdames et messieurs, plusieurs députés ont fait des rapprochements entre la politique française en Algérie et la Tunisie. J'affirme qu'aucune comparaison

n'est plus fausse, plus dangereuse. Ici, c'est la France !»
Et M. Mitterrand d'enchérir : «L'Algérie est la France
et qui d'entre vous, mesdames et messieurs, hésiterait à
employer tous les moyens pour préserver la France !»
   Ces déclarations d'hommes politiques de gauche
se conjuguant aux serments des chefs de la droite et
du centre de défendre l'Algérie française et aussi à la
mobilisation effective du contingent eurent un effet
radical chez le licencié en droit : elles firent voler en
éclats le décourageant «syndrome d'Abane», bref
répit. Non, le prisonnier d'Albi, face à ces prises de
conscience nationales et à ces moyens de riposte impressionnants, n'avait aucune chance d'atteindre ses objectifs révolutionnaires. Et lui, Leutier de Béni-Saf et
d'Aïn-Témouchent, ne se voyait qu'un devoir : participer à cet élan au premier rang. Il fallait y aller. Maintenant. Sans lanterner. Le barreau attendrait. Que serait
un avocat pied-noir sans l'Algérie ? Rien. Aucune cause
ne valait celle-là.
   Tandis que Leutier prenait cette décision capitale pour sa destinée, un événement dont les conséquences se révéleraient stratégiques pour la révolution
algérienne éclata comme une bombe : les massacres
dits de Constantine, en plein été 1955. Sous l'instiga-
tion d'un responsable FLN du Nord-Constantinois,
Zighoud Youcef, afin de réveiller le «Mouvement» qui,
selon lui, s'assoupissait et aussi perturber les avances

libérales de Jacques Soustelle tout nouveau gouverneur de l'Algérie, proche de M. Mendès-France et ouvert à de réelles réformes avant de brandir haut le flambeau de l'Algérie française, des centaines d'Arabes, tant des villes que des campagnes, tuèrent sauvagement 140 Européens, hommes, femmes et enfants, à El Halim, non loin de Philippeville. Les autorités répliquèrent par une répression impitoyable dont il fut dit qu'elle causa près de 12 000 morts et disparus, ce qui, dans la mémoire populaire, la rapprocha des massacres de Sétif en 1945. Ces bains de sang défrayèrent la chronique. Mais ils précipitèrent la préparation intense du Congrès de la Soummam sous la direction d'Abane Ramdane libéré en mars 1955, congrès fondateur de la révolution algérienne. Il n'avait pas chômé depuis son arrivée à Alger. Il était devenu le numéro un du FLN Il devait imposer la suprématie du politique sur le militaire.

Revenons un peu sur Abane Ramdane dont Jean-Michel, à vrai dire, ne se souciait plus du tout. Il avait quitté la prison d'Albi en janvier 1955, fait un petit tour dans son village kabyle de Larba-Naït-Irathen pour embrasser sa famille et reposer un corps malmené par cinq années d'internement, se réhabituer à la liberté, puis avait plongé dans la plus épaisse des clandestinités. Les choses avaient certes commencé sans lui qui avait cher payé son engagement. Il se vit chargé de réorganiser le réseau FLN d'Alger mis à mal quelques mois plus tôt.

À l'automne 1955 et au début de 1956, Leutier lui est à Cherchell, à l'École des Officiers de Réserve.

Abane à Alger. Leutier à Cherchell. Les dés étaient jetés.

Cette même année 1955, l'instituteur Savignol fut assassiné par l'un de ses meilleurs élèves, le jeune Lahoual. Ce qui fit franchir un cap supplémentaire à la conviction de Jean-Michel que ce serait décidément « à la vie à la mort », que rien d'intelligent ne saurait désormais s'accomplir entre les deux communautés, que, tant que « l'ordre européen » ne serait pas rétabli, toute tentative de réforme serait vouée à l'échec. Encore ce mince espoir se révélait-il tremblotant, assiégé qu'il était par le sentiment que, de vie, pour les pieds-noirs, et en dépit des moyens militaires énormes déployés par la mère patrie, de vie, il n'apercevait pas de chances crédibles en vue.

À sa sortie de l'école, l'aspirant Leutier est affecté au 2e Peloton du 6e Chasseurs à Cacherou, aujourd'hui Sidi Kada, entre Mascara et Tiaret. De là, son unité opéra de long en large dans le grand Oranais.

Pendant ce temps, Abane, depuis la Casbah, avait

tissé sa toile à Alger, recrutant, formant, disposant militants et militantes redoutables et peu soucieux de leur vie. Fabricants de bombes, et leurs poseuses et poseurs, trésoriers, comptables, attentats individuels et publics, police secrète du FLN, mettant en échec les forces de l'ordre qui peinaient à imaginer une riposte efficace face à cet ennemi multiforme, invisible et ubiquiste. Et puis, Abane, fort de son pouvoir parallèle et impatient de conférer une aura internationale à la révolution, ordonna une grève générale de huit jours dont les objectifs officiellement proclamés étaient de : « démontrer d'une façon encore plus décisive l'adhésion totale de tout le peuple algérien au FLN, son unique représentant... Par cette démonstration, donner une autorité incontestable à nos délégués à l'ONU afin de convaincre les rares diplomates de certains pays étrangers encore hésitants ou ayant des illusions sur la politique libérale de la France ».

La grève débuta le 28 janvier 1957. Massu et ses parachutistes eurent ordre de nettoyer la capitale sans états d'âme : tout le monde fut suspect, la torture érigée en système, l'organisation d'Abane détruite, nombre de ses chefs arrêtés et mis à mort. Abane, Krim, Ben Khedda, Saâd Dahlab réussirent de justesse à fuir Alger. Abane choisit de se rendre au Maroc. La marche fut longue, périlleuse, épuisante, un mois de voyage de nuit. On lui

devait d'avoir offert à la révolution algérienne une notoriété et une crédibilité mondiales. À son débit, selon des
pairs qui commençaient à trouver lourde sa férule, le
désastre opérationnel, la destruction de l'organisation
algéroise, la quasi-décapitation de l'état-major FLN par
Massu. Et qui avait amené le général de paras à Alger ?
Abane, qui avait décidé une grève trop longue, préma-
turée, à une mauvaise date. Largement de quoi nourrir
un procès politique.

Pour l'heure, Abane est en cavale en ce début
mars 1957, en route vers le Maroc via l'Oranie.

Pendant ce temps, l'aspirant Leutier à la tête de sa
section s'était aguerri. Bouclages et ratissages avaient
été son lot quotidien. Sa maîtrise de l'arabe parlé avait
fait de lui un conseiller écouté du colonel du régiment et de ses officiers. Personnellement, il s'efforçait de veiller, au cours de ses opérations, au difficile
équilibre entre le respect des droits élémentaires des
populations et la nécessaire coercition qui seule permettait, in fine, d'assurer la sécurité de ses hommes.
Mais, plus il évoluait sur le terrain, plus il subodorait
que cette guerre était vaine en dépit des apparences :
lui qui connaissait bien les Arabes décelait sans difficulté qu'ils ne voulaient plus les Français chez eux.
C'est à ce moment-là, vers le début du printemps 1957,
qu'il flageola, que la méthode Coué manifesta ses
limites, qu'il cessa de se faire du cinéma, tout en

remplissant très consciencieusement son devoir, et même, en prenant des risques individuels excessifs, symptômes avant-coureurs de son futur comportement suicidaire.

— Au printemps 1957, petit curé, je n'y croyais plus.

À la mi-mars Leutier est à Cacherou, au peloton porté du 6e Chasseurs, cantonné au lieudit Ferme Saint-Paul, au-dessus du village. C'est là qu'il reçut mission de patrouiller de nuit dans le massif de Zelemta, autour de la ferme éponyme sise, elle, tout au bord de la route Mascara-Cacherou-Tiaret, et de sécuriser l'oued Zelemta, qui creusait profondément le massif vers l'ouest.

Plusieurs attentats avaient eu lieu les semaines précédentes sur cette portion de route surplombée par le massif où il était facile de se retirer aussitôt le forfait ou le crime perpétrés. Leutier et ses hommes rejoignirent cette ferme de Zelemta en fin d'après-midi et y stationnèrent leurs véhicules. Ladite ferme était alors occupée par une SAS (Section Administrative Spécialisée) dont le rôle consistait à s'occuper des populations, les aider, les soigner, les éduquer, bref les pacifier, plutôt que les combattre, dont le dévouement confina à l'héroïsme durant cette guerre. Leutier avait donc reçu l'ordre de contrôler le djebel en le bouclant et en le ratissant. Petit djebel mais couvert d'un maquis souvent inextricable et autres végétations touffues et rébarbatives, parsemé de mechtas rarement regroupées, ce qui ne facilitait pas la tâche, et assez misérables.

L'aspirant commandait une section composée de trois groupes, l'un sous les ordres du caporal Ropol, le deuxième dirigé par le sergent Flagelo, le troisième par le caporal-chef Sarie. Leutier avait étudié la disposition des mechtas sur sa carte d'état-major au 50 millième où elles étaient indiquées. Il lui apparut qu'il s'imposait d'aborder le djebel en formation demi-cercle, ensuite de refermer celui-ci en un cercle complet, et de consacrer à cette manœuvre deux de ses groupes, l'un à gauche l'autre à droite, jusqu'à prendre en tenailles le gros du massif. Leutier et son troisième groupe se réservaient l'approche systématique et la fouille des mechtas. Près de 40 hommes furent ainsi mis en œuvre car, pour les besoins de l'opération, le capitaine avait mis à la disposition de l'aspirant un groupe supplémentaire.

Les soldats avançaient dans les ténèbres se méfiant de chaque buisson, sans bruit. Les mechtas rencontrées semblaient endormies. Sauf une qui, tout à coup, surgit de l'ombre en laissant filtrer un filet de lumière sous son entrée.

L'aspirant ordonna au caporal-chef et à son groupe

de s'en assurer avec lui. Il prit la tête de l'escouade. Parvenus à pas de loup devant la porte, armes prêtes à tirer, l'aspirant, payant de sa personne, oubliant que le premier devoir d'un chef à la guerre, au contraire d'idées reçues, n'était pas de charger sabre au clair comme au temps de Napoléon mais d'éviter de s'exposer inconsidérément, poussa la porte d'un violent coup de pied en criant : «On ne bouge pas, c'est l'armée française!»

Devant lui et Sarie se tenaient quatre hommes assis par terre autour d'une lampe à pétrole, paralysés par cette intrusion mais, me précisera le lieutenant, davantage par la surprise que par la peur. Ils avaient été sûrement absorbés par de très sérieuses conversations annihilant leur vigilance. Une belle imprudence quand même. Ils ne pouvaient ignorer que l'armée rôdait un peu partout en ces lieux, à toute heure du jour et de la nuit, à la suite des attentats récents. Alors, pas de doute : leur réunion devait être impérative et urgente.

Et pour cause : Abane était l'un d'eux, sans discussion possible. Le lieutenant m'exposa qu'il l'avait reconnu au premier coup d'œil sous la capuche de sa djellaba épaisse en poils de chameau, quoique amaigri par l'éprouvant et périlleux périple clandestin qui l'avait amené d'Alger, chassé par Massu, à Zelemta, ultime étape avant le Maroc.

– Vous savez, petit curé, je vous raconte ça presque impavide mais, en vérité, vous l'imaginez, c'est comme si j'avais reçu une balle de PA 49 en pleine poitrine, j'étais aussi tétanisé que lui et j'avais pourtant une décision à prendre sur-le-champ. Plusieurs même, la première étant de savoir si j'allais l'arrêter… Aujourd'hui, tandis que je me remémore cet épisode traumatisant, me vient à l'esprit une citation de Jonathan Swift qu'on nous avait fait étudier en littérature comparée à Fermat et que j'ai retrouvée il y a peu comme si une force supérieure et mystérieuse me l'avait replacée sous les yeux au moment précis où elle avait plus que jamais son prix pour moi et que voici : «un dilemme ardu dans un cas désespéré, agir avec infamie ou quitter les lieux».

Leutier avait devant lui, à sa merci, le chef de la révolution algérienne, le responsable du sang et des larmes de ses compatriotes européens. Et au lieu de se précipiter sur lui et de le mettre hors d'état de nuire, là à Zelemta, voici qu'il se heurtait à une hésitation pernicieuse, engendrée sûrement, m'expliqua-t-il, par cette horrible et ravageuse conviction que l'arrêter ne servirait plus à rien à l'échelle de l'histoire, que cela ne détournerait pas son sens, que l'appréhender ne modifierait pas un poil de la suite des événements ni le sort des Français d'Algérie, et que même, à l'inverse, Leutier, fort d'avoir entendu Abane à Albi développer son projet politique, il s'était persuadé que de tous les chefs FLN il semblait le seul assez intelligent et écouté pour imposer ses vues, à ne pas être hostile foncièrement à une participation active des pieds-noirs à la construction de l'Algérie nouvelle. En conséquence de ces considérations impétueuses qui chauffaient à blanc sa cervelle dans la quasi-pénombre de cette mechta, Leutier s'octroya une infime marge de manœuvre en occupant son caporal-chef à la fouille et à un bref interrogatoire des trois compagnons d'Abane, se réservant celui-ci. Et d'abord, avant tout, y avait-il des armes ? Si oui, qui les détenait ? Les quatre ou certains d'entre eux ? S'ils dissimulaient des armes sur eux, l'affaire était bouclée, l'arrestation générale devenait inévitable. Quant à la mechta, normalement on devait aussi la fouiller et là encore si des armes étaient découvertes, on embarquait tout le monde. Si l'aspirant jouait la carte d'Abane, l'unique méthode consistait pour lui à éloigner ses hommes en leur assignant des tâches au-dehors et à se charger lui-même de la besogne à l'intérieur.

Une information lui parvint qui lui facilita singulièrement le travail car sa décision intime était prise, sa cervelle avait refroidi et un sang-froid glacial avait repris le dessus : autant que possible, il éviterait d'arrêter Abane Ramdane. Ce qui ne l'empêcha pas de percevoir que plus tard, bien plus tard, il porterait le poids de cette sorte d'infamie. Mais les événements ultérieurs lui confirmèrent au centuple que cette arrestation eût été inutile, qu'elle n'aurait pas changé le cours de la guerre. Dès lors, le déshonneur d'avoir épargné le chef FLN se révélerait moindre que celui engendré, à ses yeux, s'il l'avait appréhendé. Mais tout à coup, là, au cœur du djebel Lalla Hafsa, il se souvint de la dernière phrase de la lettre d'Abane Ramdane : « je ne suis pas sûr de survivre aux périls qui m'attendent. Alors, ne m'oubliez pas ».

De fait, cette phrase était prémonitoire. La mort lui fixerait rendez-vous quelque 9 mois plus tard. Mais elle ne viendrait pas de l'armée française. Elle serait infligée par ses pairs, Krim, Boussouf en particulier, qui le firent étrangler sous leurs yeux lors d'une nuit terrifiante, quelque part près de Tétouan, au Maroc, le 27 décembre 1957, au motif que son autorité se faisait envahissante et dangereuse pour eux. Écoutons Ben Bella : « Le 19 février 1958, Krim vint me voir : Abane est mort, me dit-il, il était un danger pour notre mouvement, je ne regrette rien. »

Et maintenant Ben Tobbal : « À présent que Abane a été liquidé, son sang nous barrera la route du pouvoir ; ce seront d'autres qui s'en saisiront. »

D'autres ? Oui. Ben Bella puis Boumédiène.

Où sont les os d'Abane ? Nul ne l'a jamais su. En dehors des assassins. Dépouille jetée à la mer ? Incinérée ? Coulée dans du béton ? Les dirigeants du FLN annoncèrent sa mort au combat, sans plus. Le héros avait été tué, son corps avait disparu. Cette mort ne fut rendue publique que 5 mois plus tard.

Sa décision prise, Leutier exploita l'absence d'armes sur les gens fouillés au-dehors en explorant lui-même la djellaba de l'ancien prisonnier d'Albi. Et là, oui, m'avoua-t-il, il y avait bel et bien un pistolet automatique. Il dut feindre de ne rien trouver. Leurs regards se croisèrent, froids, presque hautains, visages marmoréens. Ah non, ils n'étaient pas amis le moins du monde. Plutôt habités par une sorte d'intérêt réciproque dépassant leurs personnes. En somme, deux destinées absurdes face à face. L'un serait assassiné à bref délai, l'autre s'assassinerait lui-même pour expier la part de forfaiture dont il ne pourrait se défaire.

Leutier se contenta d'un coup d'œil circulaire puis sortit. Rien à signaler. Tout était en ordre. Des fellahs pacifiques et des papiers en règle. D'une certaine façon, il s'en était remis au sort. Si des armes avaient été trouvées sur les trois compagnons d'Abane, on aurait embarqué tout le monde et, en ce cas, sa responsabilité à lui, l'aspirant, eût été nulle, tant aux yeux d'Abane qu'aux siens. Mais cette ordalie improvisée avait tranché en faveur du chef révolutionnaire.

Que pensèrent alors le caporal-chef Sarie, le sergent Flagelo et le caporal Ropol ? Que pensèrent aussi les compagnons d'Abane qui savaient celui-ci armé ? Après le départ des Français, que se dirent-ils entre eux ? Cette question ne s'est posée à moi qu'au reçu de cette fameuse missive d'Alger et des quelques explications

177

auxquelles elle donna lieu. Le lieutenant m'avait dit
se souvenir des noms de trois des occupants de cette
mechta : un certain « Hansen », l'un des pseudonymes
d'Abane Ramdane, un nommé Ferroudji et un Aït
Jamel. Les papiers de ces derniers étaient-ils aussi faux
que ceux de leur chef ? Par ailleurs, ces hommes, sauf
celui dont Leutier n'avait pas retenu le nom et qui,
selon lui, pouvait être l'humble propriétaire du lieu,
ne ressemblaient guère à de pauvres fellahs mais plutôt à des compagnons de fuite escortant Abane dans la
traversée problématique de cette wilaya 5 d'Oranie au
cours de laquelle, au demeurant, il constaterait combien
elle n'était dirigée qu'au profit exclusif de son maître, le
redouté Boussouf, au détriment des intérêts de la révolution. Par ailleurs, tout clandestin qu'il était, Abane,
patron en titre du FLN, ne cessait par les moyens du
bord de communiquer avec le CCE (Comité de Coor-
dination et d'Exécution), véritable bureau politique, et
il s'en prenait à un certain Boumédiène (futur chef de
l'armée algérienne basée en Tunisie et futur président
de l'Algérie indépendante), promu commandant et
adjoint de Boussouf en dépit de la maigreur de ses états
de service. C'était trop charger la valeureuse mule au
dos de laquelle il se déplaçait le plus souvent. C'était
placer ses pairs et de nombreux cadres de la révolution
en situation d'avoir peur. Ce qui devait le perdre à l'instar de Robespierre à la veille du 9 Thermidor 1794.

Qui étaient ces compagnons de retraite ? Saâd Dahlab et un garde du corps ? Leutier me dit les avoir reconnus intuitivement en raison de leurs regards tendus et fiévreux, d'une expression d'éveil propre aux gens entraînés à réfléchir. Ces traits s'observent souvent, m'assura-t-il, sans grande difficulté. Les gens intelligents et chargés de responsabilités ont du mal à le masquer. Ces gens sont-ils morts aujourd'hui ? Ont-ils confié plus tard à des tiers leur stupeur devant le comportement de l'aspirant ? Abane leur a-t-il révélé la nature de ses liens passés avec lui ? Ont-ils fait partie de cette poignée infime d'individus qui ont su que l'aspirant Leutier avait, cette nuit-là, en quelque sorte trahi sa patrie à Zelemta ? Outre, peut-être, le caporal-chef Sarie. Certes, celui-ci était occupé à l'extérieur mais lui aussi aurait eu des motifs de surprise vu la méthode adoptée par son chef pour explorer cette mechta, contraire à toutes les règles de sécurité. Or, Leutier avait déjà sa petite réputation dans le régiment. Celle d'un jeune officier consciencieux et courageux, soucieux de la sécurité de ses hommes et du salut de l'Algérie française, son Algérie à lui. Cette séparation de quatre « suspects » en 3+1 était rien moins qu'orthodoxe. Cependant, comment Sarie aurait-il imaginé la présence du patron du FLN et, plus encore, une connivence entre lui et son chef ? Le hasard avait plus que bien fait les choses, il avait accompli des prodiges : cette rencontre fortuite dans le massif de Zelemta et l'absence d'armes sur les personnes des trois fouillés. Ce n'était plus un hasard mais une providence, un miracle.

Cette nuit-là, Leutier et sa section, leurs contrôles effectués, regagnèrent à l'aube la ferme de Zelemta puis rejoignirent leur cantonnement à Cacherou avec, pour tous, hormis leur chef, le sentiment du devoir accompli.

Cependant, plus de 50 ans plus tard, un ou plusieurs empêcheurs de tourner en rond, des fouille-merde, pardonnez-moi cette expression peu digne d'un vieux curé, avides de sensation, avaient-ils flairé la bête et proposé leur trophée à des éditeurs pressés et peu scrupuleux rêvant déjà d'étals de librairies submergés par des dizaines, des centaines d'exemplaires d'un ouvrage intitulé : *La Plus Grande Trahison d'un officier français depuis Ganelon et Bazaine.*

Le lieutenant Leutier, en un trait d'humour triste, comme il avait abordé ce sujet de la trahison, m'avait dit :

– Au fond, je suis pire que les traîtres royaux de la littérature, *Lord Jim* ou le consul Firmin dans *Au-dessous du volcan*, n'hésitez pas à lire ces livres, petit curé, ils ne sont pas contraires à la morale chrétienne, tout au contraire, et vous aurez, après ma mort, tout le temps de les apprécier.

Ainsi devenait-il urgent que moi, le « petit curé », j'expose dans les détails ce qui avait poussé l'aspirant

Leutier, plus tard devenu l'héroïque lieutenant Leutier, à agir en conformité avec ce qu'il avait alors considéré comme son véritable honneur : ne pas ajouter une erreur inutile au malheureux bilan de la guerre d'Algérie. Oui, il en était absolument sûr : arrêter Abane n'aurait servi à rien, d'autant que ses assassins, ses pairs, ses subordonnés, s'empareraient incessamment de sa place et brandiraient sa mort en martyr de la cause nationale.

Depuis, Leutier avait vécu sous son emprise. Grâce à Ramdane, il avait pressenti avant tout le monde ce qui se profilait d'inéluctable. Dès lors, il n'avait pas jugé digne de sa conception de l'existence de procéder à l'arrestation du responsable de son «syndrome». Et l'avenir leur avait en tout point donné raison : mort rapide d'Abane Ramdane, mort programmée de l'Algérie française. Ceux qui ont lâché celle-ci ne seront-ils pas, face au tribunal de l'histoire, infiniment jugés plus coupables que ces deux personnages pathétiques que ladite histoire aura expulsés de son territoire pour les reverser dans la fiction ? En compagnie des Lord Jim et des Geoffrey Firmin. Mais la perspective de survivre à ces deux morts lui répugnait. Il lui en fallait une troisième : la sienne.

– Je l'ai cherchée éperdument, petit curé, et elle ne voulait pas de moi sur les champs de bataille, cependant, la voici qui approche maintenant à grands pas et voilà qui me rassérène, même si je n'ai absolument pas conscience d'avoir trahi ni ma patrie, ni mes parents, ni le peuple pied-noir, il reste que la nuit de Zelemta ne s'éclaircira jamais pour moi, elle demeurera toujours obscure, épaisse, profonde, sans lune, sans étoiles, elle me sera à la fois linceul et tombeau.

Ainsi parla l'ancien brillant élève de lettres et de philosophie Jean-Michel Leutier d'Aïn-Témouchent en Oranie, en Algérie française. *Ora pro eo.*

Épilogue

Le lieutenant Jean-Michel Leutier mourut à l'hôpital de Béni-Saf, le 8 janvier 1961, entouré des siens, d'une hémorragie pulmonaire due aux dégâts irréparables causés par les balles qui lui avaient à plusieurs reprises percé la poitrine lors de la bataille de l'oued Thât, au pied du djebel Bou Rehoua fin 1958, puis, ayant repris du service au terme de sa convalescence, lors de l'embuscade meurtrière sur la route de Frenda à Tiaret où il fut laissé pour mort. À chaque fois, il avait sauvé bon nombre de ses soldats et infligé de lourdes pertes à l'ennemi. Près de Tiaret, il avait chargé, un fusil-mitrailleur à la main, ce qui lui valut une nouvelle citation avec palme à l'ordre de la Division et la Légion d'honneur au feu, fait rare, distinction perdue dans l'océan de ces décorations distribuées comme des sucettes à peu près à n'importe quels notable ou « décideur » maîtres de l'intrigue et par ailleurs incapables d'escalader un rocher pour cueillir un edelweiss à une fille.

Les plus hautes autorités militaires d'Algérie et une foule immense de pieds-noirs accourus de toutes parts soutenir la parentèle éplorée assistèrent à ces obsèques d'un jeune officier héros de l'Algérie française. Ainsi, bien sûr, que le «petit curé» qui, compte tenu de son intimité des derniers mois avec le défunt, fut invité à réciter l'absoute au cimetière à la demande des parents et devant l'évêque d'Alger.

Moi seul, au bord de cette tombe, savais les tourments et tortures que le lieutenant emportait avec lui. Mais je ne me faisais aucun souci sur sa rédemption et l'accueil que lui réserverait Notre-Seigneur.

Je devais rester en Algérie jusqu'en 1962. Peu après l'enterrement, je fus muté à Fort-de-l'Eau, à côté d'Alger, plus exactement au camp de formation militaire du Lido où je finis mon séjour. Je fus un aumônier bien noté. À mon retour, je poursuivis mon sacerdoce au gré de mes affectations avant d'atterrir à Faustin chez les sœurs de la Bienfaisance, en Auvergne, au cœur de mon pays natal, et cela grâce à la bonté de mon évêque. J'y vis dans la prière, la lecture et la relecture d'ouvrages que je n'aurais jamais ouverts sans ma rencontre avec Jean-Michel. Tournant les pages de mon exemplaire fatigué du *Mythe de Sisyphe* de cet Albert Camus, compagnon jusqu'au bout du lieutenant, que lis-je, tout à coup, qui mouille mes vieilles paupières ?

Ceci : « L'instant du désespoir est unique, pur, sûr de lui-même, sans pitié dans les conséquences, son pouvoir est sans merci. »

Oui, sans merci.

DU MÊME AUTEUR

LA RHUBARBE, prix Médicis, 1965, Le Seuil

LE LOUM, 1969, Le Seuil

L'IMPRÉCATEUR, Prix Fémina, 1974, Le Seuil

LA BÊTE, 1976, Le Seuil

LA POMPÉI, 1985, Albin Michel

LES DÉMONS DE LA COUR DE ROHAN, 1987, Albin Michel

L'HITLÉRIEN, 1988, Albin Michel

LA MÉDIATRICE, 1989, Feuille d'or de la ville de Nancy, Albin
Michel

LA POSITION DE PHILIDOR, Prix de la littérature policière Edmond
Locard, 1992, Mercure de France

LA FAUX, 1993, Albin Michel

LE FAKIR, 1995, Flammarion

LE CHRISTI, 1997, Plon

LA JUSQUIAME, 1999, Plon

Composition IGS-CP
Impression CPI Bussière en novembre 2015
Éditions Albin Michel
22, rue Huyghens, 75014 Paris
www.albin-michel.fr
ISBN : 978-2-226-31942-5
Nº d'édition : 21902/01 – Nº d'impression : 2018120
Dépôt légal : janvier 2016
Imprimé en France